バカの災厄

頭が悪いとはどういうことか

池田清彦

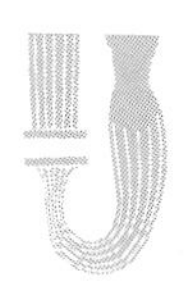

宝島社新書

はじめに

世界に災いをもたらす「バカ」とは

近年、「バカ」が引き起こす災厄が増えている。

たとえばSNSやネット上では、他人の言動について執拗に批判し、心身の限界まで追い詰めることに生き甲斐(がい)を感じるような「バカ」が招く悲劇が後を絶たない。あまりに陰湿な攻撃を受けて、自ら命を絶ってしまう人までいるというのだから、これほどの災厄はない。

また、コロナ禍でとくに増えたのが、おかしな陰謀論を広める「バカ」や、それを鵜呑みにしてしまう「バカ」である。ある論点について賛否両論をともに参照して考えることをせずに、海外のB級ニュースなどを基に自分が気に入ったストーリーをつくって拡散している当の本人は「真実を暴いた」と得意になっているのかもしれないが、そのデマを真に受けた結果、自業自得とはいえ、不利益を被る人もたくさんいる。社会に混乱をもたらしているという意味では、こちらも間違いなく災厄だ。

　現実社会に目を向けても、「あおり運転」などの迷惑行為を行うドライバーや、店に対して理不尽な要求をするモンスタークレーマーといった「バカ」が引き起こすトラブルはいっこうに減らない。ひと握りの「バカ」のせいで、なんの非もない人々が命を奪われたり、不快な思いをさせられたりという点では、やはりこちらも典型的な「バカの災厄」だ。

　さらに、国家レベルでも「バカ」が引き起こす災厄は増えるばかりだ。最近では、ロシアによるウクライナ侵攻が象徴的だが、国家のリーダーが、虐殺を止めるためだとか、侵略の脅威に立ち向かうためなどといった屁理屈を並べて他国への侵攻を進め、罪もない人々の命を奪うということが繰り返されている。平和的な話し合いができず、とにかく相手を力でねじ伏せようなんて発想は「バカ」の最たるものだ。

このように、身近なところから国際情勢に至るまで、今「バカの災厄」が地球を覆いつつある。ちょっと大袈裟だと思われるかもしれないが、これは全人類の存亡に関わる非常に由々しき事態である。

そこで、私には何ができるのかと考えたとき、世界に災いをもたらす「バカ」とはいったいどういう存在なのか、どうすれば「バカの災厄」を防ぐことができるのかという点についてわかりやすく解説し、心ある人々と理解を共有したいという結論に達した。

今から「バカ」に向き合わないと人類の未来は暗い

私自身は棺桶に片足を突っ込んでいるような人間なので、残された時間も少なく、これからどんな「バカの災厄」がもたらされるにしても直接的にはあまり関係ない。

しかし、これからの世界を生き抜いていかなければならない若い人たちは違う。この先、50年も60年も「バカ」が起こす対人トラブル、「バカ」が引き起こす社会問題、そして「バカ」が始める国際紛争などが増えていったら、今の若い人たちが私のような老人になったとき、世界はかなり悲惨な状況になっているに違いない。

最悪の事態を避けるには、今のうちから「バカ」という問題と真剣に向き合う必要がある。まずは「バカ」とは何かを知り、「バカ」の危険性を理解して、「バカ」が生まれないような社会をつくっていく。そして、社会全体で「バカの災厄」を回避するシステムを構築するほかない。

この本はそのような構成になっている。

これを読むことによって、読者の皆さんのなかで「バカ」というものへの理解が深まり、彼らと向き合うためのヒントになれば、私も書いた甲斐があるというものだ——。

と、このような話をすると、おそらくけっこう不愉快になる方もいるのではないかと思う。「上から目線で、読んでいて不快だ」とか「そう言うお前はどれほど賢いんだ」「バカなどと人を見下している時点で、そっちがバカだ」「バカと言う奴が一番バカ」

といったことをしたり顔で言い出す人が必ずいると思う。

そこで、本題に入る前に簡単に説明させてもらうと、私がさっきからさんざん繰り返している「バカ」というのは、知能レベルが低いとか、教養がないとかいうようなことではない。ましてや、ネットやSNSで人々がマウンティングに使う、相手の人格を否定するような「バカ」ともまったく異質なるものだ。

この本のなかで私が「バカ」と呼ぶのは、「概念が孕む同一性は一意に決まる」と思い込んでいる人々だ。

「自分は正しい」と信じて疑わない人々

いきなり「概念が孕む同一性」などと言われてもピンとこない人も多いと思うので、嚙み砕いて説明すると、「この世界には最終的な真理があり、その認識を共有しない者は許せない」と思っている人のことである。別言すれば、「すべての概念は捏造(ねつぞう)されたものだ」ということに、まったく思い及ばない人のことだ。

最も典型的な「バカ」は、「俺は正しい概念に到達したのだから、絶対に間違っていない」と意固地になっている人だ。皆さんのまわりにも、こういう人は必ず1人や2人、いるんじゃないかな。

つまり、いかに高学歴な人であっても、知識や教養のある人であっても、独善的で他人の意見に耳を傾けない場合、本書では「バカ」と呼ぶ。これを踏まえれば、人類を破滅に追いやる「バカの災厄」の本質についても理解してもらえるはずだ。

「自分は絶対に正しい」という思い込みに取り憑かれた人が、自分と異なる考えや立場の人々を排斥・攻撃すれば、抗争や戦争が起きるのは火を見るより明らかである。

今、ウクライナで起きていることなどはまさしくそれだ。そのような意味では、人種、宗教、イデオロギーなどの違いで起きている対立や分断、紛争などはすべて「バカの災厄」と言ってもいいだろう。ネットの炎上や、冒頭で触れた誹謗中傷なんかも「バカの災厄」だよね。

芸能人や企業が何か問題を起こしたら、みんな競い合うようにしてネットやSNSで叩く。やっていることはリンチやいじめとほとんど変わらないけど、やってる側にはそんなつもりはない。むしろ、「悪い奴にお仕置きしているんだから、正しいことなんだ」くらいの気分なんだよね。そういう点ではこれも、「自分は絶対に正しい」という思い込みがなせる業で「バカの災厄」だ。

私が問題視、危険視しているのはこういう「バカ」だ。「自分は絶対に正しい」と思い込んでいるので視野が狭くなって、異なる意見にも耳を傾けず、自分の考えを否定されると攻撃的になる。「正義バカの暴走」という表現を用いるとより伝わりやすいかもしれない。

すでに述べたが、本書で「バカ」とするものにはIQや教養、一般常識、知識・知的レベルなどはいっさい関係ない。「絶対に正しい真理がある」という考えに無条件に縛られているか否か。その一点を判断基準としている。

「バカ」ほど他人の意見を全否定

さて、このように抽象的に解説しても「正直まだピンとこない」という方もいるだろう。そこで、もっとわかりやすい例で、「バカ」とはどういうものか具体的に説明しよう。

たとえば、本書をここまで読み進めたあなたはどんな感想をもつだろうか。

私の話には1ミリも共感できないし、考え方にも賛同できないと本を閉じる人もいるかもしれない。あるいは、内容以前に、やたらと「バカ」を連呼しているのが不愉快だとか、物言いが気に食わないので読む気が失せたという人もいるだろう。その反対に、私が唱える「バカ」の内容に興味をもち、さらに読み進めてみようと思った人も、わずかながらおられるのではないか。

本に対する興味や関心は人それぞれなので、さまざまな反応があるはずだが、実はそのなかでひとつだけ典型的な「バカ」の反応がある。

それは「池田清彦が言っていることは絶対に認めない」という全否定だ。

先ほども述べたように、「バカ」というのは、「概念が孕む正しい同一性はひとつしかない」と思い込んでいる人なので、自分の考えていることがこの世界におけるただひとつだけの真実だと信じてしまうと、それについては他の人もみな同じように考えるべきだと独断的に考えてしまう。だから「これは正しいし、これは間違っている」といった、0か100かという短絡的な結論に至りやすいのだ。

ネットの書き込みなんかを見ていてもそうだよね。誰かを痛烈に批判・否定している人というのは、とにかく「自分は絶対に正しい」という考えに取り憑かれていることが多いので、言葉遣いが威圧的になりがちだし、異なる意見や立場の人の「存在すら許さない」くらいの不寛容さがある。これも本書で言うところの「バカ」だよね。

じゃあその逆で「バカではない人」、つまりは「賢い人」というのはどんな人なのかというと、わかりやすく言えば、「自分の考えと他人の考えは違っていて当たり前」ということをちゃんと理解している人のことだ。

「賢い人」は思考をアップデートできる

先ほど、「バカ」は「概念が孕む正しい同一性はひとつしかない」と思い込んでいる人々だと説明したが、「賢い人」はこの逆で、「概念が孕む同一性というのは絶対的なものではない」とわかっている人々のことなのだ。

これはつまり「自分の概念と他人の概念は同じコトバでも意味が違うし、概念に正しさを求めるのは間違っている」ということを理解しているってことで、これを噛み砕いて言えば、繰り返しになるが「自分の考えていることと、他人の考えていることは違う」という現実をしっかりと認識しているってことなんだよね。

「賢い人」はこの本を読んでも、「バカ」のように「こんなデタラメは信じられない」という全否定をすることはない。たとえば、「この池田って人の主張は、自分の考えていることとはだいぶ違うようだけれど、どんな考えなのか読んでみるか。何か勉強になるかもしれないし」となる。

本というのは、自分と異なる考えを吸収するには最適のツールのひとつだから「賢い人」ほどうまく利用する。「この本は自分の考えと違う」と全否定してかかると、「自分は絶対に正しい」という自尊心を満たすことはできるが、それ以上得るものはない。「賢い人」ほど本をたくさん読んでいるというのは、実はこういう、他人の考えを受け入れようとする柔軟さがあるってことなんだよね。

「バカ」と「賢い人」の最大の違いはここだ。「バカ」は自分の考えが絶対的に正しいと硬直化しているので、異なる考えを耳にしただけで拒否反応が現れて、そこで思考停止してしまう。いつまでも自分の考えに固執して前に進むこともできず、さらには異なる考えの人々を批判・攻撃するという非生産的なことまでしてしまう。

しかし、「賢い人」は違う。世の中には、自分と違う考えの人間がいるのが当たり前だとわかっているので、それを踏まえたうえで自分の考えを組み替えていくことができるのだ。

他人の概念の同一性を柔軟に受け入れることもできるので、そこから学びを得て、自分の考えを深めていける。もっと具体的に言うと、これまで正しいと信じていたことに対して、「そうか、そういう見方もあるのか」と別の視点を加えることで、「だったら、こういう可能性もあるのではないか」と常に自分の思考をアップデートしていくことができる。

この柔軟さこそが、「バカの災厄」を乗り切るうえで非常に大きなポイントになる。たとえば他人から意見されることがあっても、「それぞれ、意見が違うのは当たり前」という考えがあるので、頭に血がのぼることもなく、「そういう意見もありますよね」と軽く受け流すことができる。ゆえに不毛な争いに発展せず、異なる考えをもつ者同士が共存していく道を模索することができるのだ。

つまり、人類にとってきたるべき脅威である「バカの災厄」を乗り越えるには、このような「世の中には自分と違う考えがある」という現実を受け入れる柔軟さが必要だってことだ。

挑発的なタイトルをつけた理由

実はこの本に「バカの災厄」というタイトルをつけたのも、そこに狙いがある。こういう挑発的な物言いをすると、自分の考えは正しいと信じて疑わない「バカ」がたくさん集まってくるからだ。多くの人は「こんな話はデタラメで読む価値がない」と、この本に書かれていることを全否定して終わるだろう。だが、「そうか、世の中にはこういうひねくれた考えの人間がいるんだな」と興味をもってくれる人もいるかもしれない。

「この池田清彦という学者の考えていることは、自分とはまったく違う。しかし、世の中にはこういうことを真剣に考えている人間もいるのだな――」

そこに気づくということは、「自分の概念の同一性が、必ずしも他人の概念の同一性と同じではない」と理解することと同じだ。つまり、「バカ」から脱却するための第一歩になる。

本書でこれから詳しく述べていくが、「バカ」の最大の問題点のひとつに「コミュニケーションがとれない」ということがある。これは当然だ。「バカ」は自分と異なる同一性の存在を認められないので、拒絶や攻撃しかできない。相手の意見に耳を傾けて、自分の同一性を組み替えていくという「対話」ができないのだ。

「対話」が通用しない世界ほど恐ろしいものはない。強い立場の「バカ」が独善的に物事を進めて、それを批判する者たちは排斥・抹殺されていく。まるで悪夢のようだが、このまま「バカ」が増え続ければ、そう遠くない未来、このような社会が現実のものとなるのだ。

「バカ」な人間について考えること自体バカバカしい、などと冷めた目で見ずに、「バカの災厄」がじわじわと社会を蝕(むしば)んでいる現実は現実として受け入れて、広い世界に目を向けて解決策を考えてみてほしい。自分自身では思いもよらなかった新たな方向性が見えてくるかもしれない。

この本にも、これまで皆さんが聞いたこともない話や「そんなものは信じられない」

と戸惑うような話がおさめられているかもしれない。しかし、耳を塞がずにとりあえず聞いてみてほしい。当たり前だが「私の言っていることがすべて正しい」などと、私自身は夢にも思っていない。

ただ、そんな未知の言説に耳を傾けていく行為こそが、「自分の同一性を組み替えていく」ということにつながる。それこそが、「バカの災厄」を防ぎ「賢い人」を生む、ただひとつの方法だ。

もしこの本を読むことで、ひとりでも多くの方が「バカ」という状態から抜け出すことがあれば、これほど嬉しいことはない。

2022年初夏

池田清彦

目次

装幀／bookwall
本文ＤＴＰ／一條麻耶子

第1章　バカとは何か

人間はどうしてバカになるのか

バカが引き起こす災厄の問題点についてお話ししていく前に、そもそも「バカ」とは何かということを改めて説明しておこう。

「はじめに」でも触れたように、本書における「バカ」は、知的レベルや社会的な一般常識、教養などとはいっさい関係ない。「概念が孕む同一性はひとつしかない」と信じて疑わない人を、総じて「バカ」と呼んでいる。

これは簡単に言うと、「自分の考えていることこそが正しいので、他の人も当然、同じことを考えていなければおかしい」と思い込む人々のことだ。

わかりやすい例で言えば、自分が信じている「正義」というものは絶対に正しいので、他の人も同じような「正義」を信じなければならないと思い込んでいる人は「バカ」である。彼らは、自分の考えている「正義」から少しでも外れた「正義」を信じる人たちが許せない。「お前たちは間違っている」と批判や非難を繰り返し、やがてそれがエスカレートすると、そのような人たちを「悪」と呼び始め、攻撃を仕掛けることもある。このような「正義バカ」の暴走が、国家レベルの規模になったものが戦争である。まさしく「バカ」が引き起こした「災厄」の典型的なパターンだ。

では、なぜ人は「概念が孕む同一性は一意に決まる」などという思い込みをしてしまうのだろうか。その謎を解くためには、まず「概念とは何か」というところから理解していく必要がある。人間が「バカ」になるのは、人間に「概念」というものがあるから。そう言っても過言ではない。

人間と動物の大きな違いのひとつに、「概念」をもっているか否かということがある。我々がよく口にする「正義」とか「平和」とか「国家」、そして「日本人」ということまで、すべては「概念」なのだが、動物にはこのような発想自体がない。動物にとっては目の前にある「現象」がすべてだ。

犬を例に説明しよう。私が昔飼っていた犬がいて、名前は「コロ」といった。だから、私が「コロ」と呼ぶと、しっぽを振って走ってくるんだけど、友人が「コロ」と声を掛けても近寄らないで吠(ほ)える。呼び方が悪いのかと、「コーロ」「コロー」などと変えてみたが、まったく寄ってこない。友人は「なんで？」と首をひねっていたが、これは当たり前である。

犬よりもバカなのは人間？

犬には「自分の名前」などという「概念」はそもそも存在しないからだ。飼い主である私の口からいつもと同じ発音、いつもと同じイントネーションで「音」が発せられたという「サイン」を認識して、しっぽを振って私にかけ寄ってきていただけの話である。だから、赤の他人である友人の口から「聞いたことがない音」が発せられても、いつものサインではないと認識して、しっぽは振らないし寄ってもこない。

このように、犬は音や匂いという、人間にはわからないような微細なサインを認識する能力に長けている。そして、そのサインに基づいて行動をする。そのような意味では、きわめて合理的で賢い生き物なのだ。

しかし我々人間には、犬のこのような合理的行動が理解できない。私が「コロ」と呼ぶと反応するので、ほかの誰が「コロ」と呼んでも同じように反応するものと勝手に思い込んでいる。「コロ、コロ」としつこく呼んで寄ってこないと、「バカな犬だなあ」なんて苦笑したりする。

犬の賢い行動を理解できないという点では、人間のほうが「バカ」だって言えるかもしれないよね。

人間には「名前」という「概念」があって、その同一性は絶対的なものだと信じている。そして、犬も当然、同じように自分の名前を認識しているはずだと一方的に思い込んでいる。この状態こそが、本書で言うところの「バカ」である。つまり、すごく単純な言い方をすると、「バカ」というのは、「異なる現象を同じだと思い込めるのは人間だけ」ということがわからない人のことである。

実はこの「違うものを同じだと見なす」というのは、地球上の生物を見渡しても、人間だけがもっているきわめて特殊な能力なのだ。繰り返しになるが、動物には「概念」なんてものはなく、音やフェロモンといったサインで世界を認識しているので、違うものは「違う」というようにシンプルに判断をする。

しかし、人間は「概念」をもつ唯一の生物ということで、このあたりの判断がきわめてアバウトというか、いい加減である。つまり、その判断は実際にはいい加減（恣意的）であやふやなものなのに、それが正しくて確かなことだと錯覚してしまう。実はこれが「バカの災厄」、ひいては人間の世界に悲劇をもたらす原因になっている。

概念のいい加減さが対立を生む

実際に、人間同士の対立の多くは、「概念」というものの「いい加減さ」が引き起こしている側面もある。

たとえば、ロシアのプーチン大統領とＥＵの首脳たち、我々日本人のトップとの間で「国家とは何か」というテーマで話し合う場が設けられたと仮定しよう。果たしてこの議論に答えは出るかというと、どれだけ時間をかけても難しいだろう。

プーチン大統領には自分の考えている「国家」という同一性があり、一方、ＥＵにはEUの「国家」があり、日本には日本の「国家」がある。そんな状況でいくら国家論を戦わせても不毛なだけである。そんなことができていたら、ウクライナ侵攻も起きていないはずだ。

なぜ議論が平行線になってしまうのか。「国家」という概念が「これが国家です」というふうに、単純に指でさし示すことができないからである。「犬」や「猫」のように指でさし示すことができるものは、どれが「犬」でどれが「猫」かというのは単純明快な話だ。犬を指さして「猫だ」と言い張っている人がいれば、「あなたの捉え方は間違っている、あれを世間では犬と呼んでいるんだよ」と訂正してやればいいだけの話だ。

しかし、「国家」や「平和」という概念ではそれができない。十人十色ではないが、個人が考える「国家」や「平和」のあり方というものはそれぞれ異なる。非常にあやふやで、それぞれが「いい加減」に決めて認識している部分があるので、「どちらが正しい、どちらが間違っている」という言い争いをしたところで、いつまで経(た)っても答えなど出ないのである。

もっと身近な例で考えてみよう。ある店のラーメンを「うまい」と感じる人と「まずい」と感じる人がいたとして、両者がどんなに議論を重ねたところで、答えが出ないのが普通だろう。当然ながら、そのラーメンの味をおいしく感じるかどうかというのは、個人の感じ方によることなので、話し合いによってわかり合えるものではないのだ。

しかし、「バカ」はそれができると考える。「ラーメンのうまさには絶対的な基準がある」と思い込んでいるので、自分が抜群に「うまい」と感じるラーメンは、他人も「うまい」と感じて当たり前だと思う。そのため、「まずい」と言っている人間がいると許せない。「あいつは味オンチだ」「ネガティブキャンペーンだ」などと批判をするというわけだ。

このような「バカ」が引き起こす不毛の対立・衝突というのを突き詰めていくと、「違うものを同じだと見なす」という人間の特殊能力がもたらした災厄だとわかる。「概念」というものが非常にあやふやでいい加減なものであるにもかかわらず、人はそれが「揺るぎない真理」だと勝手に錯覚しているのだ。

そのような意味では、人間同士がなんらかの対立をしているときに、もめごとの対象を「指でさし示すことができるかどうか」っていうポイントは非常に重要なのだ。

「バカの災厄」の本質とは

ただ、このように「違うものを同じだと見なす」という性質は人間にとって必ずしも悪いことではない。この、生物としては非常に特殊な能力があったおかげで、人は進化して文明社会を築くことができたという側面もあるからだ。

たとえば、人は「神」という存在や現象をその目で見たことがないのに、「神」を信じる。これは、教義や礼拝を通じ「神」という概念を捏造して、それが絶対的なものだと思い込むことができる能力が、人間に備わっているためだ。仮に、一人ひとりが自分の頭のなかで勝手に「神」を思い描いて、それぞれが「俺にとっての神はこうだ」「私の信じる神様はこんな感じだ」と言い出したとしたらやがて収拾がつかなくなり、宗教としては成立しなくなる。キリスト教やイスラム教などが世界的に広まったのは、それぞれの個人の脳のなかの「神」がみな同一なのだとみなが信じるという、人間の不思議な能力がもたらした結果だろう。

しかし、物事にはなんでも良い面と悪い面がある。「違うものを同じだと見なす」という特殊能力は、人類に進化をもたらす一方で、先ほど紹介したような不毛な対立まで生むこととなる。対立どころか、時に社会に大きな混乱を招いて、罪のない人々を迫害し命を奪うような戦争に発展することさえある。

それこそが、本書の主題である「バカの災厄」だ。

「概念が孕む同一性はひとつ」と思い込む「バカ」というのは、自分の同一性から少しでも逸脱した同一性は認めることができないので、「お前たちは間違っている」と敵と認識した相手を厳しく批判する。その攻撃性がさらに強くなり抑えが効かなくなると、異なる同一性をもつ人間が存在している事実にさえ我慢できなくなって、その存在を否定する。つまり、排斥や虐殺といった狂気の行動へと走ってしまうのである。

これまでに世界で起きた戦争や民族紛争などを見れば、根底には「自分と違うものは認めない」という考えがあることは明らかだ。そして、それらはすべて「概念が孕む同一性はひとつ」という思い込みが引き起こしている。

日本社会に置き換えても、他人を厳しく攻撃するようなトラブルにはこういった思い込みがつきものだ。たとえば、コロナ下では「自粛警察」「マスク警察」と呼ばれる人たちが、街を出歩く人たちやマスクをしていない人たちを厳しく非難していたが、これはまさしく「自分と違うものは認めない」という「バカ」のなせる業だ。また、ロシアのウクライナ侵攻で、日本国内にあるロシア料理店への脅迫やいやがらせが相次いだなんて報道もあったが、あれも典型的な「バカの災厄」だよね。

言葉が通じない相手は「人間ではない」

さて、次に疑問が浮かぶのは、「バカ」はどうして自分と異なる同一性に対し、これほどまでに攻撃的になるのかという点だろう。

その謎をひも解くうえで、非常にわかりやすい事例がある。それはオーストラリアの先住民・アボリジニーに対して、ヨーロッパ人が行っていた仕打ちだ。彼らがオーストラリアに入植していた当時の写真を見ると、アボリジニーの人たちの首には太い鎖がかけられている。彼らの人数はカンガルーやオウムといった動物と同じリストに記録されていたそうだ。

現代の感覚からするとありえない、非人道的な蛮行だと思うかもしれないが、当時のヨーロッパ人には罪悪感なんてほとんどなかったはずだ。アフリカで自由に暮らしていた黒人の人々を次々に捕まえて奴隷貿易をしていたように、アボリジニーに対しても「自分たちと同じ人間」だとは考えていなかった。いわば「人間」という概念から外れた存在という認識だったのだ。

当時、ヨーロッパ人の頭のなかには「人間」について、現代の我々とは異なる概念があった。彼らが考える「人間」の条件には、たとえば肌の色など目で見てわかる人種的な特徴や、キリスト教などの信仰が同じであるといったことがあったが、実は「同じ言語をしゃべる」ということも大きかった。それをよくあらわしているのが、「バルバロイ」という単語だ。

これは「バーバリアン」（野蛮人）という言葉の語源でもあり、「わけのわからない言語をしゃべる人」を意味する。つまり、昔のヨーロッパ人による、「同じ言語をしゃべっていない者は野蛮な存在。自分たちと同じ人間ではない」という共通認識の名残なんだよね。この「バルバロイ」という言葉が、他人を拒絶し排斥する「バカ」の攻撃性を象徴している。

このように、当時のヨーロッパ人の多くは「概念が孕む同一性は不変」だと思い込んでいる「バカ」であり、彼らが考える「人間」の概念に当てはまらないアボリジニーは「人間以外」のものに位置づけられていた。人間を殺すことは「殺人」という罪にあたるけれど、「アボリジニーは人間ではなかった」ので、殺すことは罪ではなかった。

だから、アボリジニーを捕まえて、家畜のように首に鎖を巻くことにも抵抗はなかった。「バカ」がもたらす災厄のなかでも、最悪の部類に入るものだ。

バカはどうして攻撃的になるのか

このことからわかるのは、人間は「自分と同じ同一性をもたない者」にはここまで冷徹に、そして残酷に振る舞えるっていうことだ。そしてもうひとつ重要なポイントは、このような「バカ」の攻撃性は、「いい加減（恣意的）に決められたこと」をあたかも「不変の真理」であるかのように思い込むことから発することだ。

生物学的に見れば、ヨーロッパ人も黒人もアボリジニーも同じ「人間」であることは間違いない。しかし当時のヨーロッパ人は、肌の色などの身体的特徴や信仰、そして言語というかなり恣意的な基準で「人間」と「人間以外」を選別していた。つまり、きわめて「いい加減な基準」で「人間」という同一性を決めていたということなんだよね。

そんな「いい加減に決められたこと」を「不変の真理」に捏造して、正当性を主張するというのは、冷静に考えればかなり苦しい。そうなると、自分たちの同一性の正しさを守るためには先手必勝しかない。瑕疵(かし)を指摘される前に、相手を徹底的に弾圧・迫害して潰すのだ。中世のキリスト教の「異端審問」や「魔女狩り」などはその代表だろう。

つまり、「バカ」がやたらと喧嘩腰なのは、「いい加減に決められたこと」を「絶対に正しい」と言い張っていることに対する「後ろめたさ」もどこかにあるからなんだよね。

このような攻撃性の根っこにあるものを知ると、「バカ」の最大の問題も見えてくる。それは、人間社会に必要な「コミュニケーション」が機能しなくなってしまうという危険性だ。

賢い人のコミュニケーション

「はじめに」でも少し触れたが、人間の社会は「自分の概念の同一性と他人の概念の同一性は違う」という現実を受け入れながら、どうすれば違う者同士がうまくやっていけるのか、という共存の道を模索することで発展してきた。

「お前は間違っている」「いや、俺のほうが正しい」といった感じで、どちらの概念が正しいかなんてことを突き詰めようとしたところで、どこまでいっても折り合いがつかない。そうなると最終的には、自分の概念が正しいことを証明するためには「間違っている側の人間」の存在をすべて抹消するしかなくなる。つまり、皆殺しだ。

こういう悲劇を避けるため、つまり「自分の同一性で凝り固まっている人」が極端な道を選ばないように、「コミュニケーション」が存在している。

それは「バカ」の対極にある「賢い人」たちのコミュニケーションを見ればよくわかる。彼らの何が賢いのかというと、「世の中にはいろんな同一性があって、それぞれがみんな自分の同一性は正しいと信じている」という現実をよく理解している点だ。

だから、「賢い人」は自分と考えの違う人に「お前の存在は許さない」などと高圧的な態度をとったり罵ったりしない。そういうマウンティングが何も生み出さない、不毛なものだということに気づいているのだ。

では、彼らはどんなコミュニケーションをとるのかというと、異なる考えをもつ人の意見に耳を傾けて、自分の考えを組み替えていく。自分の同一性と、異なる同一性とを比較して、「でも、やっぱり俺の考えのほうが正しそうだな」と思った場合でも、相手の主張には理解を示して、決定的な対立を避けるようなコミュニケーションをする。

つまり、「賢い人」のコミュニケーションというのは、「どちらの概念が正しいか」ということではなく、「どういうふうな概念を共有したら、みんながお互いに幸せに生きることができるのか」ということに重きを置いているんだよね。

だけど、「バカ」はそういう発想ができない。自分の同一性が固定化していて、「どちらが正しいか」ということで頭がいっぱいになっているので、自分の考えを組み替えることができない。これが俗に言う「聞く耳をもたない」という状態だよね。もっとも、「賢い人」でもそういう「バカ」が相手だと議論をしても時間の無駄なので、無視することも多いけどね。

「違うものを同じだと見なす」言語の力

さて、本書で言う「バカ」のだいたいの内容がわかってきたところで、ここからは「バカ」をより深く、より多角的な視点で解説していこう。

ここまで「バカ」とは「概念が孕む同一性はひとつ」だと思い込んでいる人であり、それは「違うものを同じだと見なす」という人間の特殊能力のなせる業だと説明してきた。

そもそもなぜ人間がそのような特殊能力をもつようになったのかというと、実はそれには「言語の獲得」が大きく関係している。

先ほど登場した、私が飼っていた犬の「コロ」の例で再び説明しよう。私がこの犬を「コロ」と呼ぶことと、友人が私の真似をして「コロ」と呼ぶことは、厳密には声も違うしイントネーションや音程も違うので現象としてはまったく違うけれど、私と友人が発している「コロ」は、まわりにいる人たちからすればまったく同じ「コロ」に聞こえるよね。人間からすれば、私の犬の名前は「コロ」であって、声は違うけどコトバとしては同じ「コロ」だからだ。

人間はなぜ「まったく違うものを同じもの」だと錯覚してしまうのかというと、「コロ」というコトバがあるからだ。「コロ」という音は、それを発する人によって本当はすべて違うはずなのだが、「コロ」というコトバがあることで、すべて同じだと見なしてしまっている。つまり、人間の「違うものを同じだと見なす」能力というのは、「言語」に紐(ひも)づいたものなんだよね。

そのあたりは先ほどの「バルバロイ」を思い出してほしい。当時、ヨーロッパ人たちは、同じ言語をしゃべる者を自分と同じ人間だと見なしていた。明らかに自分とは異なる存在なのに、同じ言語を操るということだけで、「自分と同じ」と錯覚していたのである。

それは裏を返せば、「同じ言語をしゃべらない」ということは、それだけで異質の存在ということだ。

それを体感できるのは、言葉が通じない国へ行ったときだ。

私は昔、虫の研究のためによくタイへ行っていた。タイ語でクワガタムシのことを「メーンキーム」と言うんだけれど、私がそれを発音すると、なぜか現地の人の耳には「メーコーン（メコンウイスキー）」と同じように聞こえるらしかった。いくら気をつけて発音してもそうなってしまう。だから、お酒を飲んでいる場所でクワガタムシの話をしていたら、近くにいた人がゲラゲラ笑いながらウイスキーを持ってきてくれたなんてこともあった。

タイ人からどんなに発音を教わっても、私には違いがよくわからない。だから、タイの子どもたちに至っては、「このおじさんはなんでこんなに頭が悪いの？」と言わんばかりで、完全に愚か者扱いされた。子どもは正直だから、自分と同じ「言語」という同一性をもっていない私は「アホ」なんだよね。

8歳をすぎるとバイリンガルになれない？

では、なぜこんなことが起きるのか。そこを突き詰めていくと、「音韻（おんいん）という同一性」が違うからだということが言える。母音だけをとっても、私たち日本人は「あいうえお」しかないと思い込んでいる。たとえば「あ」にはいろいろな発音があるが、日本語ではすべてひとつの「あ」という音韻に括られる。実は世界にはいろいろな母音があって、タイにはなんと32個もある。

これだけ多くの音韻を操るタイ人の頭のなかでは「クワガタムシ」と「ウイスキー」の発音は明確に違う。しかし、日本語という言語の音韻規則に縛られてきた私の耳には、どちらも同じようにしか聞こえない。聞こえないので当然、発音することもできない。

注目すべきは、この音韻というものは、実はこれまで見てきた「違うものを同じだと見なす」という人間の能力そのものってことだよね。

そもそも「音」というのはすべて連続的で変化している。私たちは頭のなかでそれを恣意的に分節して、同じ音だと見なしているんだよね。これも、「違うものを同じだと見なす」という能力のおかげだ。

たとえば、「ドレミファソラシド」と言っても、連続する「ド」と「レ」の間にも実は細かい音程の違いがある。だけど普通の人はそんな細かいところの違いまでわからないから、なんとなくこのあたりまでが「ド」で、このあたりからが「レ」だろう、という感じで、ある程度の幅を自分のなかでつくってそれぞれが理解をしているのだ。

「母語の音韻の同一性」が脳内でつくられるのは、生まれてからだいたい8歳ぐらいまでだといわれている。人間にとって音の分節があいまいなのが8歳までで、それ以上成長すると、音の分け方が固まってしまうのだ。

だから、8歳ぐらいまでに日本語と英語を聞きながら育つとバイリンガルになるし、日本語だけを聞いて育つと日本語のネイティブスピーカーになる。つまり、人間は8歳ぐらいまでに耳にした音によって、その人の「音韻の同一性」が決まってしまうってことだ。

シナプスのつながり方が賢さを決める

では、なぜ8歳で固まってしまうのかというと、ちょうどそのあたりの年齢で、脳を構成するニューロン（神経細胞）の間にある「シナプス」のつながり方が固まってしまうからだ。

シナプスというのはニューロンとニューロンの間のコミュニケーションの糸みたいなもので、これがつながってお互いに電気的な信号で情報をやりとりして、ニューロンを大きくしていく。シナプスがつながらないとニューロンは孤立してしまって、そのまま死んでしまう。

人間は、生まれたときには大脳に1000億ぐらいのニューロンがあるんだけど、大人になるとそれが160億ぐらいにまで減ってしまう。一方、脳そのものは生まれたときの400ccから1400ccにまで大きくなっている。これはつまり、シナプスでつながってニューロンが大きくなっているということなんだよね。

シナプスがどういうところにつながってどんなコミュニケーションが脳のなかでできていくかということは人間にとって非常に重要なことで、そのつながり方によって、その人の基本的な人格や「賢さ」のようなものが決まってくるともいわれている。

そんな大切なシナプスのつながり方が完成するのが、だいたい8歳ぐらいまでなのだ。

それは言い換えれば、8歳までにどれだけ脳に刺激を与えてシナプスをつなげていくかで、その後の人生が決まってくるということだ。これはけっして大袈裟な話ではない。この時期に外の世界から脳にいろいろな刺激が入ってこないとシナプスがつながっていかず、人としての大事な機能が破壊されてしまうこともあるのだ。

たとえば、生まれた赤ちゃんにアイマスクをして3歳まで育てると、目が見えなくなってしまう。身体的には目になんの問題もない健康体の子どもであってもそうなる。脳のなかで視覚をつかさどる第一次視覚野が壊されてしまうからだ。アイマスクをしてしまうと、目に刺激が入らない。脳の後方の後頭葉にある第一次視覚野のニューロンのシナプスがつながらないので、そのうちニューロンが死んでいくのだ。

立つことで一変する赤ちゃんの「世界」

シナプスがつながらないことで失われる機能のなかには「言語」も含まれる。有名なケースは「ジーニーちゃんの悲劇」だ。

アメリカに、妻と離婚した父親が男手ひとつで育てたジーニーちゃんという女の子がいた。この父親がかなりの変人で、このジーニーちゃんにまったく話しかけることがなかった。その結果、ジーニーちゃんは心身はハンディキャップがないのにしゃべれなくなってしまったのである。

11歳の時に保護されて、なんとか言葉が話せるようになればと専門家らがサポートをしたが、結局、彼女は片言しかしゃべることができず、長い文章を話せるようになることはなかった。言葉をつかさどる言語野が壊れていたのだろう。生まれてから8歳までの間に、言葉という刺激が耳から脳へ届けられなかったので、シナプスがつながらず、言語をつかさどる部分のニューロンが死んでしまったのだ。

この「ジーニーちゃんの悲劇」から私たちが学ばなくてはならないのは、人間が「言語」という能力を獲得するためには、幼い時にできるだけ脳にしっかりと言語刺激を与えなくてはいけないということだ。だから、幼児教育というのは非常に大切で、子どもの行動を制限するなどして過保護に育ててもロクなことにはならない。

それは「立つ」ということにも言える。赤ちゃんというのは多くの場合、最初にハイハイをしてやがて足が強くなって、「つかまり立ち」をしたりして自分で立つことを覚えていく。しかし、なかにはなかなか立てない子もいる。実はこのような子は、なかなか言葉をしゃべることができないことがわかっている。実際、小児麻痺などの障害があってなかなか自分で立てない子をそのままにしておくと、言葉がしゃべれなくなる。反対に、なかなか立てない子でも、大人が支えるなどして少し無理にでも立たせながら育ててやると、言葉もしゃべれるようになったりする。

なぜこのような差が出るのか。これまで説明してきた「違うものを同じだと見なす」という能力と、立つことは、実は密接に関係しているのである。

ハイハイをしているとき、赤ちゃんにとっての世界はすべて下から見上げている景色だ。しかし、ひとたび「立つ」ことを覚えると、見える世界はガラリと変わる。でもしばらくすると、赤ちゃんは「それは、実は同じものを上から見ているだけだ」ということに気づく。変わったのは世界ではなく、自分の視点が下から上に上がっただけだということだよね。この劇的な体験によって、赤ちゃんは「違うものを同じだと見なす」ということを覚える。そしてこの能力は、これまで解説してきたように「言語の発生」ということにもつながっている。

つまり、早く立ち上がる赤ちゃんは、「違うものを同じだと見なす」という能力も早く身につく。だから早くしゃべれるようになるのではないだろうか。

自我と言語の発生はパラレル

さて、「バカ」の原因ともいうべき、人間の「違うものを同じだと見なす能力」が、実は「言葉の発生」と密接に関わっていることについてわかっていただけたと思うのだが、ここにはもうひとつ、人間が生きていくうえで欠かすことのできない重要なものが関わっている。

それは「自我」である。私は最近、自我の発生と言語の発生というものが、実は表裏一体というか、パラレルな関係となっていることに気づいたのだ。

これはいったいどういうことか。それを説明する前に、まずは「自我とは何か」ということを解説しておこう。

人間の自我というのは、「リアルの私」というもの以外に、「メタレベルの私」が存在しているようなものだ。それが「リアルの私」を俯瞰（ふかん）していて、「お前、そんなことじゃ不甲斐ないぞ」とか「あんな奴に舐（な）められて恥ずかしくないのか」とかいろいろ好き勝手なことを言ってくるので、「リアルの私」の言動にも大きな影響を及ぼす。

つまり、「リアルの私」とは別に、「自分の考えは絶対に正しい」と思い込んでいる「メタレベルの私」の存在があるのだ。自分の考えが他人に受け入れてもらえなかったり、自分と異なる考えの人々が評価されていたりすることで、プライドが傷つけられたように感じるのも、すべてはこのような「自我」があるせいだ。つまり、「バカの災厄」は自我が引き起こしている側面もあるのだ。

では、「自我」は犬や猫といった動物にもあるのかというと、「概念」や「言葉」と同じで、彼らに人間と同じような意味での「自我」は存在しない。

たとえば、犬は鏡に映った自分の姿が自分だとわからずに吠えることがあるよね。猫だって「メタレベルの私」なんてもってないから、自分のことを「不甲斐ない」とか悩んでクヨクヨしたりしない。

猫好きな人がよく、「生まれ変わったら猫になって、のんびりと自由に生きてみたい」なんてことを言うけれど、猫は自我がないから幸せそうに生きている。猫になりたいってことは、自我がいらないと言っているのと同じなんだよね。

「死にたくない」のは自我があるから

では、ニホンザルやチンパンジーなど知能の高い動物はどうか。彼らは仲間の顔を見て個体を認識しているし、賢いのになってくると、鏡に映る自分の姿を見て自分だと認識するので、個体としての自分と自分以外の存在は認識しているはずだ。ただ、人間のように「メタレベルの私」までもっているわけではないだろうから、おそらく人間と同じような高度な自我は存在しないのではないか。

では、人間と違って自我がない動物にはどんなことが起きるのか。まず大きいのは、「死にたくない」という恐怖から解放されることだ。

人間の場合、重い病気や大けがなどで苦しい思いをしているときに、とにかく「死ぬのはいやだ」という恐怖で頭のなかがいっぱいになってしまう。精神的に追い詰められて、自ら命を絶つ人もいるくらいだ。これも、自我をもっているがゆえに、「メタレベルの私」が「死んだらどうなるんだ?」「死んだらお前はどこへいくのだ?」と不安になるようなことを次々と問いかけてくるからだ。

動物には「メタレベルの私」がないので、そもそも過去・現在・未来という時間軸がない。自我がないので、「未来の自分」を思い描くこともない。未来という発想がないので、「死ぬのが怖い」という恐怖心も生まれないというわけだ。

たとえ猫や犬が命にかかわる大けがをして虫の息になったとしても、「この苦しいのをなんとかしてくれ」とは思うかもしれないが、「死にたくない」とかいった恐怖は感じないはずなのだ。

こういう大きな違いから、自我がなくなったほうが生物的には幸せなんじゃないかと考える人もいる。たとえば、一般的には認知症になることは不幸なことだと思われている。「認知症になるのはいやだ」ということで自殺する人もいるくらいなんだけど、実は完全に認知症になってしまうと、もう自殺しようなんていう考えが頭に浮かぶことはなくなる。自我が半分ぐらい崩壊するので、未来への不安や恐怖もなくなる。つまり、「死ぬのはいやだ」なんて思わなくなる。そういうことで、「認知症は神様が人間にくれたご褒美だ」っていう人もいるくらいなんだよね。

自我は常に変化する

それから認知症になると、痛みもあまり感じなくなる。認知症の人とそうでない人がともにがんの末期になると、認知症じゃない人は「痛み止め」をすごく欲しがるけれど、認知症の人はよほどじゃないと痛み止めを欲しがらないということがわかっている。認知症になるとそういう点じゃあ、少し幸せかもしれないね。

犬や猫も「死」が存在すること自体は認識しているようだ。周囲の動物が死んで動かなくなるところを見ているわけだから。ただ、自我がないので、その「死」が「自分」とは結びつかない。自分が死ぬっていうことがどういうことか、よくわかっていないんだと思うね。

では、私たちの行動に大きな影響を及ぼす「自我」というのは、どこにあるのか。「われ思う、ゆえにわれあり」で有名なデカルトは、自我は脳の松果体(しょうかたい)というところに局在すると主張した。この考えは現在では否定されているが、自我が脳のどこかに局在するという考えを支持する研究者は多い。脳科学者の澤口俊之氏は『「私」は脳のどこにいるのか』（ちくまプリマーブックス）と題する名著のなかで、自我は前頭連合野に局在していると主張している。

局在というのは、ただそこに静的に存在しているということではなく、前頭連合野のダイナミックプロセスの結果、そこに生じるという意味である。

澤口氏の説では、前頭連合野にたくさんある神経が互いに電気信号を送り合いコミュニケーションをとりながらダイナミックに動いていて、そのプロセスの結果が「自我」ということだと言う。脳神経が互いに働くことで、「私は私だ」という意識が誕生しているというわけだ。

もしそれが事実だとすると、このことは私たち人間に非常に大きな問題を突きつける。それは、ほとんどの人は気づいていないけれど、「自我」というのは常に変化している、ということなんだよね。

「40歳の私」と「60歳の私」はまったくの別人

先ほど述べたように、前頭連合野のダイナミックプロセスというのは日々変化している。昨日のシナプスのコミュニケーションを経たプロセスと、今日のシナプスのコミュニケーションを経たプロセスは違うわけだから、その結果である「自我」も当然、多少違うはずだ。

しかし、私たちは「昨日の自我」も「今日の自我」も同じだと思い込んでいる。昨日の私と今日の私が別人だなんて思っている人はほとんどいない。「私が私であることは死ぬまで変わらない」っていう、自分のなかでの同一性をもって生きている。だが、澤口氏の「自我＝ダイナミックプロセス」説が正しいなら、これは明らかに我々の「錯覚」ってことになる。

つまり、「自我」というものは非常にいい加減で、うつろいやすくて、頼りないものだってことだ。

たしかに、脳細胞というのは年齢を重ねるにつれてちょっとずつ死んでいく。前頭連合野の神経細胞も多少は減衰するだろうし、それを構成する高分子(こうぶんし)は毎日入れ替わっている。20歳だった頃の私と70歳になった私では、もう脳の神経細胞の数はだいぶ違っている。「私は若い時から何も変わっていません」みたいなことを言う人もよくいるけれど、脳機能的にはありえないわけだ。

脳内の神経や細胞の数がどんどん変わっているのに加え、先ほど説明したように、シナプスのコミュニケーションも毎日変わっている。ということは、そのダイナミックプロセスの結果である「自我」も日々変わっていると考えるべきだよね。

つまり脳から見れば、40歳の時の私と、50歳の時の私と、60歳や70歳の時の私というのは、もはや「別人」と言っていいほど変わり続けているということになる。

でも、皆さんの身のまわりにそんなおかしなことを言っている人はほとんどいない。

みんな40歳の時の自分と、50歳の時の自分と、60歳、70歳の自分をすべてひっくるめて「自分」だと考えている。どんなに年齢を重ねても、「自分」というのは揺るぎないものだと信じて疑わない。連続的に変わっていて、いい加減な基準で決められた「自分」を、何があっても変わらないものだと勘違いしているんだ。

何かに似ていると思わないだろうか。そう、本書で指摘している「バカ」の特徴、そして、そこに紐づいている「言語」という能力にそっくりなんだ。

自我、言語、バカに共通する「いい加減さ」

先ほど「ドレミファソラシド」の音階というのは連続的に分かれていて、実はかなり細かい違いがあるのに、それを人間の頭のほうで勝手に「ド」や「レ」という同じカテゴリーに入れて認識し、それを同じ音だと思い込んでいるという話をしたが、脳における「自我」もまったく同じだね。

脳のダイナミックプロセスは連続的で、その結果として生じる「自我」にもかなり細かい違いがあるはずなのに、それを人間の頭が勝手に「私は私だ」と思い込んで、すべて同じ「自我」だと認識している。そして、それは自分が死ぬまで変わらないことだと思い込んでいる。これって考えようによっては、かなり「バカ」だよね。「バカ」は自分の考えは絶対に正しいと思い込んで、なんの根拠もないのに、他人も自分と同じ考えをもつべきだと言い張っている。「自我」もそうで、脳機能学的にはまったくあやふやなものなのに、「自我は変わらない」と信じて、「自分は若い頃から変わっていない」と言い張っている。内容はまったく違うけれど、構図はまったく同じだ。

つまり、自我の発生と言語の発生、そして「バカ」の発生という、一見するとまったく関係がないように見えるこの3つというのは、実はパラレルな関係にあるってことだ。

それは裏を返せば、このあたりに「バカ」とどう向き合うのか、つまりは「バカの災厄」への対策のヒントが隠されているということでもある。

それはいったい何か。自我、言語、そして「バカ」に共通している「違うものを同じだと見なす」という能力には大きな特徴がある。それは、非常に恣意的であやふやな基準で同一性を決めているということだ。
この「いい加減」というところに、「バカ」と向き合うためのヒントがあるのだ。

すべてにおいて正しい理論など存在しない

人間は言語や自我という、厳密に言えば連続的に変化していくものを、非常に恣意的で大ざっぱな基準で「同じ」だと見なしている。これは言い換えれば、「もともとはいい加減に決めたものを、正しく確かなものだと見なしている」という状況だ。

これは「バカ」にも当てはまる。たとえば、「国家」なんて10人いれば10人それぞれが違うものやことを頭に思い浮かべて当たり前の概念なのに、それを恣意的で大雑把な基準で「同じ」と見なして、「自分たちの考える国家というものこそが正しい」と主張している。こちらも「もともとはいい加減に決めたものを、正しく確かなものだと見なしている」状況だ。

ということは、この逆をやれば「バカ」から脱却できるということになる。つまり、「もともといい加減に決めたものを、いい加減なものだと認める」のである。

「バカ」は自分の信じるものは、「正しくて確かなもの」だと思い込んでいて、その考えに固執している。だから、それが「いい加減であやふやなもの」だという現実をまずは受け入れるのだ。それは恣意的に決められたもので、絶対不変の真理などではないということも理解する。ここまでくれば、あと一歩で「バカ」から抜け出せる。

これをもっとシンプルに言えば、「世の中には絶対的に正しいことなんかない」という当たり前の現実を受け入れるってことだよね。

「そんなことを受け入れたら、これからはいったい何を信じて生きていけばいいのか」と戸惑う人もいるかもしれないけれど、この世の中で「正しくて確かなもの」なんて、実はほとんどないんだよね。

これまでさんざん言ってきたけど「国家」や「平和」などという概念は人それぞれで、その時々の権力者が恣意的に決めている部分もあるのに、それを正しくて確かなものだと言い張るからさまざまな「災厄」が起きる。

ネットやSNSでの議論などを見ていると、「エビデンスを示せ」「根拠となるデータを出せ」とよく言うけど、統計なんていうのはいくらでも操作できてしまうし、ちょっと見方を変えるだけで結論も変わってくる。非常に恣意的なもので、これも絶対的に正しいなんてことはありえないよね。

すると、「でも科学は絶対じゃないですか」なんてことを言い出す人もいる。でも、科学も含めて、すべてにおいて正しい理論なんてものは存在しない。

科学は「真理を探究する学問」なのか

もちろん、現代の科学において「正しい」とされている理論はあるけれど、それらはすべて「暫定的なもの」という但し書きがつけられている。だって、新しい理論が見つかったりしたら、そんなのいつひっくり返るかわからないからね。

たとえば、ニュートン力学というのがあって、これは今の時点では正しいとされているけど、あれはマクロの世界の物理現象を扱うには一番簡便だから暫定的に正しいとされているだけなのだ。実際、観測している現象がものすごくマクロであったりものすごくミクロであったりすると、ニュートン力学は通用しなくなってしまう。つまり、そういうふうに「とりあえず現時点では暫定的に正しいとされている理論」を積み上げながら、進歩を続けてきたのが科学なんだ。

だから、よく科学というのは「真理を探究する学問」なんて言われるけど、嘘っぱちだよ。私は若い頃から主張しているけれど、真理を探究するなどというのは、どう考えたって科学ではない。

「真理」というのは、「絶対的なものでこの答え以外にはない、ほかの同一性というものは存在しない」というところまで行き着くことだ。一方、科学というのは、科学者たちの研究によって常に新しい理論が見つかって古い理論も組み替えられていくという、すごく流動性の高いものだからね。この分野はもうこの答えが出たのでこれ以上の答えは見つかりません、なんてものは何ひとつ存在しない。

じゃあ、世の中には「真理」は存在しないのかってことになってしまうんだけど、もしあるとしたら、それは宗教などの精神世界の話だよね。これ以外に答えはないです、という真理を説いているのはやはり宗教で、なかでもキリスト教とかイスラム教に代表される一神教はその傾向が強い。

これらの教義によると、この世界に神という存在はひとつしかないので、当然、神の真理というものもひとつしかない。そういう意味ではきわめてシンプルな真理なんだけど、そのシンプルさゆえに「我々の神だけが絶対に正しい、ほかの神は邪教だ」という考えに陥りやすく、それが原理主義や異教徒弾圧などにもつながってしまうという問題がある。やはり歴史を見ても、中東におけるユダヤ教徒とイスラム教徒の対立のように、一神教同士の戦いは激化しやすい傾向があるよね。

一方、東洋では多神教も多いからちょっと違っている。仏教もいろんな神様がいるし、日本の神道（しんとう）も八百万（やおよろず）の神様がいるので、「この答えが絶対に正しいので、あとは間違っている」という感じではなく、わりと寛容な姿勢だ。「いい加減」と言い換えてもいいかもしれない。

いい加減に相手に合わせるのがコミュニケーション

そして、実はこの「いい加減」ということがとても大事なのだ。

自分たちがある程度「いい加減」だということを理解している人たちは、他人に対しても「お前は絶対に間違っている」「こうしたほうが絶対にいい」なんてことは言わないよね。つまり、「いい加減」という視点からは、自分の同一性を他人に押しつけるという不毛な争いを回避することができる。

「それって、単に周囲に流されて調子を合わせているだけなんじゃないの」と眉をひそめる人もいるだろうけれど、相手に調子を合わせるということはけっして悪いことではない。

調子を合わせるってことは、相手の同一性を「とりあえず」受け入れることだ。「賢い人」の場合、「相手はなぜ、これを正しいと信じているのだろうか」ということをまず考える。その人にはその人なりの合理性があり、その結果としてその同一性を信じている。そんな相手の背景を知ろうとするのだ。

そうしたら次は、そんな相手の立場を理解したうえで、自分の同一性を組み替えることもできるし、自問自答もできるよね。「そもそもなぜ自分はこの同一性を正しいと思っているのか」「自分にとってこれは一番都合がいいことで、それを正しいと思い込んでいるだけではないのか」なんていう感じで、自分で思考を深められる。

つまり、「賢い人」というのは、相手の主張を「とりあえず、この人のなかでは正しいと思っていることなんだ」と受け入れることによって、他人には自分とはまったく違う合理性や考え方があるということを理解して、それをうまくすり合わせながら生きていく。つまり「共存」の道を探ることができるのだ。

実はこれこそが「コミュニケーション」の本質だ。「他人とうまくコミュニケーションがとれません」なんて悩んでる人もよくいるけれど、実はそんなに難しいものじゃない。世の中が「いい加減」だという事実を踏まえて、相手の同一性を「とりあえず」受け入れて調子を合わせていくだけで十分なんだよな。

賢い人は「とりあえず正しい」から入る

「バカ」というのはコミュニケーションが成立しない人で、それと対照的に「賢い人」というのはコミュニケーションがとれる人だと先ほど言った。「バカ」と「賢い人」の違いは、相手の同一性を「とりあえず」受け入れて、それに自分の同一性をすり合わせていくことができるかどうかによるのだ。

「賢い人」は、世の中で正しくて確かだとされているものの多くが、実は恣意的で無根拠で、適当に決められているってことを心のどこかで理解している。

だから、自分自身が正しくて確かだと思っていることも同様で、自分のなかでは合理的だったり、自分のなかでは都合がいい話だったりしたとしても、それらは実は恣意的でいい加減に決められたものだということもわかっている。だから自分と異なる同一性をもつ人間が現れても、「バカ」のように「お前は絶対に間違っている」と食ってかかることはない。

相手には相手の合理性や都合のよさがあってそういう結論に至っている。この人にとってはこの同一性が「とりあえず正しい」のだと理解をすることができる。

そしてこの「とりあえず正しい」っていう考え方は、先ほどの科学の話でも触れたが、非常に大切だ。「とりあえず正しい」というところから始めれば、「じゃあ、正しいと言えそうなものがほかにはないだろうか」とさらに新しい理論を求めようとする。「とりあえず正しい」から、「しかし、本当だろうか」という疑問が生まれて、反証やまったく異なる新たな視点を模索することができる。「とりあえず正しい」というのは、社会を前進させていくには必要不可欠な視点なんだよね。

しかし、「バカ」にはそれができない。自分が正しいと思っていることだけが「正しい」と凝り固まっているので、「とりあえず正しい」という考え方ができない。この世界がかなりの「いい加減さ」によって成り立っているという現実に気づいていない。

生物学的にバカを検証する

さて、ここまで言語や自我、脳機能などさまざまな視点から「バカとは何か」ということを論じてきたが、最後に少しだけ生物学的にも「バカ」について触れておこう。結論から先に言ってしまうと、人間以外の生物には「バカ」というものは存在しない。

本章の冒頭でも述べたが、虫や動物には「概念」がなく、人間のように言語を操らないし自我というものもない。つまり「違うものを同じだと見なす」という能力もないので、「バカ」という個体も存在しないんだよね。

「いや、でもうちの犬なんか同じ間違いを何度でもやらかすし、バカで可愛いけどな」と言うけれど、それは人間の側の同一性で見ているからそのように感じるだけで、犬にしてみれば、それは「バカ」でやっているわけではなく、生物としての本能や犬なりの合理的な理由に基づいた行動だ。

そうしたことは、アリなどの昆虫を見るとわかりやすい。ある種のアリには縄張りみたいなものがあって、自分たちの巣のまわりに結界を張って、敵のアリが侵入すると、その姿を見つけるやいなや殺してしまう。まれに逃げおおせた敵のアリは、仲間に巣の場所を知らせ大群で押し寄せてくる。

巣の兵隊アリは死ぬまで戦うが、働きアリと女王アリは形勢が不利だとわかれば、卵や幼虫を抱えてさっさと逃げる。しかし1カ月もすると、何事もなかったかのように元の場所に戻ってきて巣をつくる。

自分の巣の兵隊アリはぜんぶ殺されて、相手の餌になっちゃっているわけなんだけど、なにせアリだから記憶力がないので、「なんだ、よさそうな場所があるじゃないか」と再びそこに巣をつくる。敵のほうも巣の場所なんか覚えていないから、戦いの前と同じ状態に戻る。

アリには自我も記憶も未来もないから死ぬのも怖くないし、「巣をつくって守る」という生物としての本能に従って同じ行動を繰り返しているだけだ。だから、そこには「バカ」とか「賢い」といったものはない。アリはあらかじめプログラミングされたアルゴリズムに基づいて動く「生きている機械」のようなものなのだ。

昆虫は人間が思っている以上に賢い

ただ昆虫の場合、そのあらかじめ設定された「プログラム」が異常なほど「精密」ということはある。

たとえば、『昆虫記』で知られるファーブルが研究した狩り蜂はすごい。狩り蜂は獲物となる虫やクモを見つけると、自分の毒針をブスッと刺すことで麻痺させる。生きているんだけど動けない状態にするんだ。なぜそんなことをするのかというと、その虫の体に卵を産みつけるため。卵から生まれた狩り蜂の幼虫は、その虫の体を食べて成長する。殺してしまったら虫の体は腐って食べられない。だから動けない状態のまま生かしておくんだ。

ただ、針を刺して麻痺させるというのはすごい技術で、腹板の隙間の1箇所しか狙う場所がない。非常にピンポイントで、そこから少しでもズレたら成功しない。でも、親に教わったわけでもないのに、狩り蜂はそこを正確に刺す。つまり、生まれたときから、そこを刺すようにプログラミングされているわけだ。

また、昆虫がすごいのは、プログラムに従うだけじゃなく「学習」ができる種もいるってことだ。たとえば蝶は、人間の感覚では、学習なんかしないで適当に飛んでいるように見えるだろう。でも、実際には単純な学習はできるのだ。

種類にもよるけど、羽化した蝶の多くは花の蜜を求めて飛び回る。そこで、たまたま白い花に止まったときに蜜をたくさん吸うことに成功したとしよう。すると、その蝶は「白い花には蜜がある」と学習して、それ以降は白い花に選択的に止まるようになる。ピンクや黄色い花にはあまり止まらない。

人間の感覚では、「たった一度の成功体験に縛られず、もっといろんな花を探せばたくさん蜜が吸えるかもしれないのに」と思うかもしれないが、これは蝶なりの「賢さ」だ。

種類によってまちまちだが、多くの蝶は数週間しか生きられない。その短い期間に蜜を吸って生き延び子孫を残さないといけないので、いろいろな色の花に止まって試行錯誤する、なんていうのは効率が悪くてしょうがないわけだ。

そんな状況下で、先ほどの蝶にとってただひとつ確かなことは、「白い花に蜜があった」という事実だ。だから、そこに集中して同じ白い花に片っ端から当たったほうがはるかに合理的だ。虫の「賢さ」は人間の「賢さ」とはまったく違うんだよね。

チンパンジーの特殊能力

動物のなかには、人間を超えるような「賢さ」をもつ種もいる。チンパンジーだ。チンパンジーは1から9ぐらいまで数を覚えさせることができるし、教えればジャンケンなどもできるので、人間の4歳児に匹敵するくらいの知能をもっているなんてよく言われるが、実はある部分では人間を遥(はる)かに凌駕(りょうが)する「賢さ」があるんだよね。

それは、ある種の認知能力だ。チンパンジーは目にした複数の数字の位置を瞬間的に記憶できるのだ。

まずチンパンジーに、1から9までの数字をランダムに並べたコンピュータのタッチパネル画面を見せて、1から9まで順番どおりにタッチすることを覚えさせる。次に、同じようにランダムに並んだ数字をパッと見せたあと、1から9までの数字の位置が白い四角形によって隠されるようにする。

それでもチンパンジーがちゃんと順番どおりに数字にタッチすることができるか、つまりはちゃんと数字の位置を記憶できるのかということを調べたのだ。

結果は驚くべきもので、チンパンジーは正確に順番どおりに数字をタッチし続けたんだよね。同じ実験を大学の学生にやらせてもうまくできず、みんなチンパンジーに負けてしまったという。

この「数字を一瞬で把握して、カメラのように画像を記憶する」能力に関しては、チンパンジーのほうが人間よりも遥かに優れているということなのだ。もちろん、人間とチンパンジーでは脳の使い方がまったく違うので、「どっちがバカで、どっちが

「賢い」という話でもないんだけど、我々人間が思っている以上に、特殊な能力に関しては動物のほうが賢いということだけは間違いない。

人間のバカはライオンにも及ばない

一方で、動物のなかには人間とよく似ている種もいる。自我や言語をもたなくても、社会生活を営む人間と同じような行動をとる動物もいる。たとえばライオンだ。

よく、人間は集団で狩りをするようになってから進化したなどといわれるが、ライオンも「プライド」と呼ばれる群れをつくって、集団で狩りを行っている。そして、言葉でコミュニケーションをとっているわけではないのに、群れのなかでの役割分担がそれぞれ決まっている。狩りを続けていくうちに、おのおのがなんとなく自分の役割を学習していく。そういう意味ではかなり「賢い」んだよね。

群れで狩りを行うのは主にメスのライオンだ。ひとつの「プライド」のなかには大人のオスは1匹から3匹くらいしかおらず、残りはみなメスというハーレム型の群れで、子どものオスがいても発情すると群れから追放されてしまう。オスが老いぼれてくると、若いオスがやってきてその座を奪うので、オスがプライドの主（ぬし）である期間はそれほど長くない。

いずれにしても、「プライド」のオスは普段は狩りをしない。狩りをするのはメスたちの仕事だ。そのなかでも役割が決まっていて、誰が最初に獲物を追いかける、誰がトドメを刺す、などという感じでチームプレイのスタイルが決まっている。言葉もしゃべれないのにどうしてそのようなコミュニケーションがとれているのかというと、女系社会で育つ過程で、さまざまなことが脈々と子どものライオンに引き継がれているからだ。

母親の狩りのやり方を、娘が近くで見ながら育つ。今度はその娘が大きくなって、さらにその娘がそれを見て育つ、というような感じで、基本的に「真似（まね）る」ということを繰り返して、プライド内の狩猟スタイルが引き継がれていくのだ。人間社会で行われている伝統技術の継承などとそれほど変わらない。

さらに面白いことに、そうした世代継承が行われるなかで、ごくまれに「こっちのやり方のほうがうまく狩れるかも」とまったく新しい狩りのスタイルをする個体も現れる。動物には概念も自我も言語もないのだが、たまにすごく賢い個体が現れて、群れのなかの「同一性」を理解したうえで、それを組み替えるということをする。こういうことができるライオンは、「自分の考えは常に正しい」と、他人の意見に聞く耳をもたない人間の「バカ」なんかよりもよほど賢いと言える。

動物の賢さは合理的、人間の賢さは歩み寄り

それは、猿なんかもそうだ。

宮崎県の幸島(こうじま)という場所にいる猿の群れが、ある時、急に芋を海水で洗って食べるということを始めた。群れのなかで代々継承されてきた習慣ではなく、突然1匹の若いオス猿がやり始めたのだ。たしかに海で芋を洗うと泥や土も取れるだろうし、ほんのり塩味がつくわけだから、おいしいのかもしれない。

いずれにせよ、1匹の猿が同一性を組み替えたわけだ。すると、次に何が起きたかというと、ほかの猿も真似をして次々と海で芋を洗うようになって、気がついたらみんなやるようになった。こういうことは人間社会でもよくあるよね。

今まで誰も試みなかった冒険的なことを最初にやるのは、たいてい若いオスだ。ボスはまずやらない。保守的なほうが安全だからだ。若いオスは、死んでも群れにとって被害は少ない。人間でも、食べられるのかどうかわからないサカナやキノコを最初に食べたのは若い男だったと思う。こういう「賢さ」みたいなのは、人間も動物もそんなに変わらないのかもしれない。

本能というプログラムで動く虫と違って、猿やライオンなどある程度知能のある動物の場合、「自分や群れが生きるためには、何がベストな選択なのか」ということを最優先して、効率よくそのやり方を発見するような能力に長けている。群れで生活している動物であれば、そのやり方はパッと周囲に広がっていく。そういう点においては人間よりも遥かに「合理的」だ。

これまで説明してきたように、人間の「賢さ」というのは基本的に、異なる同一性とうまく折り合いをつけて、「とりあえず正しい」という方向ですり合わせをしていくコミュニケーションのうまさである。生物学的な意味での、自分の子孫の数を最大化するという「合理性」に固執していたら、コミュニケーションは破綻してしまう。対立を避けて調子を合わせるためには、時には合理的ではない選択もしなくてはならない。

そういう形で「互いにある程度の歩み寄りをしながら、そこそこうまくやる」というコミュニケーションをとれる「賢い人」たちによって、人間社会は進歩してきたという事実がある。

これは当たり前だろう。コミュニケーションが成立しなければ、グループ内での仲間割れやほかの種族との争いが後を絶たない。それではどこまでいっても抗争の連鎖だ。我々人類は、自分たちと異なる同一性をもつ相手とコミュニケーションをとって、「そこそこうまくやっていく」ということができるようになったことで、そこそこの平和とそこそこの平等を実現することができたのだ。

だが、人類を発展させてきたコミュニケーションを真っ向から否定する人たちもいる。それこそが、「バカ」という存在だ。

バカは人類の宿痾

自分と異なる同一性を認めないので、「バカ」はコミュニケーションが成立せず、ただただ他人の「自分とは異なる同一性」を攻撃することしかできない。それが非常に厄介なのは、虫や動物のように、生き延びるために合理的な判断をしているわけではなく、単に「違うものを同じだと見なす」という人間の特殊能力を下手にこじらせてしまった結果だという点にある。

誤解を恐れずに言えば、「バカ」というのは、人間が言語や自我というものを獲得したプロセスにおける「副作用」のようなものだ。「人類の宿痾（慢性のやまい）」と呼んでもいいかもしれない。

だから、「バカ」が人間社会からいなくなることはおそらくないし、彼らが引き起こす「バカの災厄」もなくなることはないだろう。

だが、なくならないからと言って、少しでもなくす方途を模索しなくていいというわけではないだろう。冒頭で述べたように、「自分は絶対に正しい」などという考えに凝り固まった人間が主導権を握る世界など、破滅へ向かうだけだ。

だからこそ、これからの世界を生きる皆さんは、「バカ」がどんな問題を起こしているのかを知り、その被害を軽減させる対策をとっていく必要がある。

そこで次章では、「バカ」が今、世界や日本で具体的にどんな災厄をもたらしているのかという現実と、その危険性について解説していこう。

第2章　ますますバカになる日本人

プーチンのウクライナ侵攻でバカが大量発生中

「バカ」とはいったい何か、そして「バカ」はどうして社会や他人に災いをまき散らすのかという仕組みを理解していただいたところで、ここからは今、世界にどんな「バカの災厄」が起きているのかを具体的に見ていこう。

まず、現在の全世界的な「バカの災厄」といえば、やはりロシアによるウクライナ侵攻であり、これは避けては通れない問題だ。前章でも少し触れたが、自分の国の「正義」を絶対的なものだと思い込んで、異なる「正義」を信じる他国の人々を武力で制圧していく国家間の侵攻や民族紛争というものは、「違うものを同じだと見なす」という「バカ」が引き起こす災いのなかでも最悪の部類に入る。

なぜかというと、罪のない人々の命が奪われていく悲惨さはもちろんだが、実際に戦争している当事者国だけではなく、周辺国なども巻き込んで「バカ」を大量発生させていくからだ。実際、ロシアがウクライナに侵攻してから、日本国内でも「バカ」が続々と現れて、社会にさまざまな混乱をもたらしている。

代表的なのは、日本国内のロシア料理店などに嫌がらせをしたり、ロシアとのビジネスを行っている日本企業をネットやＳＮＳで攻撃したりする「バカ」だ。

あの戦争を仕掛けたのはプーチン大統領であって、日本で生活しているロシア人たちに「侵略をやめろ」なんて怒ってもなんの意味もないよね。しかも、一括りに「ロシア人」って言うけど、あれだけ広大な領土に国民が１億４０００万人もいて、当然そのなかにはプーチンを支持している人もいればそうじゃない人もいる。それなのに、「ロシア人」というだけで十把一絡げにして叩くというのは、完全に「違うものを同じだと見なす」という典型的な「バカ」だよね。

日本だって、自民党支持者もいれば共産党支持者もいるし、憲法改正しようって人もいれば米軍基地に反対だって人もいる。たとえば、もしも自民党が中国と戦争をするとか言い出したとき、外国人から「日本人みんなの責任だ」って叩かれても、「バカじゃねえか」って思うよね。

ロシアを罵倒するのは「気持ちがいいから」

ただ、こういう「バカ」によるロシア排斥運動を、単なるバカの所業だとあまり軽んじないほうがいい。少し前には、夜中に神社の境内へ行って自作のプーチンの藁人形に五寸釘を打っていた人がニュースになり、世間の反応としては「ヘンな人間もいるなあ」というぐらいで呆れていたけれど、これは冷静に考えるとけっこう恐ろしいことだ。

自分は絶対に正しいと信じている「バカ」というのは、あまり思い詰めると、自分と異なる考えをもつ人間に対して、「殺してやる」なんていう感情さえ抱きかねないってことだからね。

なぜこんな過激な発想が生まれてしまうのかというと、単純に「気持ちがいい」からなんだ。

人間は「正しいことをした」「世の中の役に立った」と考えると、脳で快感物質のドーパミンが大量に放出されて、幸福感を得る生き物なのだ。だから、ウクライナがロシアから攻められたというニュースを聞いて「みんなでウクライナ支援をしよう」なんて叫ぶと、こうした仕組みから気持ちよくなれるのだ。加えて、ゼレンスキー大統領が日本向けに演説して感謝の言葉を述べるのを聞くと、さらにドバッとドーパミンが出てたまらなくなる。

人間というのは快楽に弱いので、そのような感じでどんどん気持ちよくなっていくと、さらに強い快感が欲しくなってしまう。

じゃあさらにどうするかというと、自分が応援しているウクライナやゼレンスキー大統領の「敵」を叩く。つまり、ロシアを攻撃していくんだね。これもまた「正しいことだ」と信じてやっているわけであって、やればやるほどドーパミンが放出されるから、どんどん行動がエスカレートしていく。最初はネットやSNSでロシアやプーチンの悪口を言う程度なんだけど、それだけじゃ満足できなくなってきて、ロシア料理店の看板を壊したりロシア人に罵声を浴びせたりするようになる。

つまり今、ロシアを執拗(しつよう)に叩いている人というのは、べつに「強すぎる正義感」ゆえにそうしているわけではない。脳の機能から見ると、ただ単に「いいことをした」とドーパミンを放出させて気持ちよくなりたいだけ。すべては「自分のため」なんだよね。

私は『ＳＤＧｓの大嘘』（宝島社新書）という本のなかで、多くの人が科学的根拠がほとんどない「ＳＤＧｓ」（持続可能な開発目標）なんてものをありがたがって推進していることの根幹には、「世の中の役に立った」と感じることで人間の脳が「快感」を得られることがあると指摘したが、「バカ」の暴走にも、実はドーパミンが大きな影響を与えているのだ。

バカは複雑な問題を二元論でとらえる

ロシア料理店やロシア人を攻撃して気持ちよくなっているような「バカ」が招く、もうひとつの大きな災厄がある。それは、「複雑な問題を単純な話にしてしまう」ということだ。

もともと人間というのは「ワンイシュー」、つまりひとつの論点や争点に流れやすい傾向がある。「これさえ食べたら健康になります」とか「これさえ読んでいれば頭がよくなります」みたいな詐欺話に引っかかってしまう人がたくさんいるのが、その証しだ。じゃあなぜワンイシューが好きなのかというと、実はこれにも「気持ちがいい」ということが関係している。物事を複雑に考えるのは面倒臭いし疲れる。単純に考えたほうが、頭はすっきりして気持ちいい。

快感に弱い「バカ」もワンイシューに流されて、どんどんのめり込んでいってしまう。その象徴が、今回の侵攻が始まった当初から叫ばれている「ウクライナ＝善」「ロシア＝悪」という二元論だ。

戦争や民族紛争などというものは、それぞれ特有の事情が複雑に絡み合っているわけで、国家も民族も宗教も文化も違う人間が外野から見ていて簡単に「善悪」を断じられるものではない。「先に攻めてきたのはロシアなのだから、あっちが100パーセント悪い」というようなことを言っている人がいるが、それもプーチンからすれば

「先に挑発してきたのはウクライナだ」ということになる。

掲げている「戦争」や「正義」という概念が互いにかけ離れているので、議論はどこまでいっても平行線なのだ。

また、日本の専門家のなかでは、「ウクライナはある日突然、ロシアから攻められた。日本でも同じことが起きた場合を想定すべきだ」みたいなことを言っている人もいるが、今回の戦争はそんな単純な話ではない。

ウクライナと日本の状況を同じだと見なすバカ

たとえば、ウクライナにもいろんな民族やいろんな考えの人がいて、親ロシア派の人もたくさん暮らしている。両国の間には国境というものこそあれ、親戚同士がロシアとウクライナをまたいで2国に暮らし交流しているなんて人もたくさんいるし、文化的なつながりも深い。

これはかなり歴史的にも根深い問題で、もともとソ連時代に共和国を分けたとき、民族の同一性やイデオロギーの同一性などについて深く考えることなく、ざっくりと国境を決めてしまったからなんだよね。

ただ、こうしたことは世界ではそれほど珍しくはなくて、中東やアフリカなども同様だ。たとえば、アフリカには、もともとイギリスやスペイン、フランス、ポルトガルなどの西洋列強がきわめて恣意的であやふやな基準で引いた国境線によって分けられた国がたくさんある。だから民族紛争が絶えない。当然だよね。何百年も前から同じ民族が自由に行き来しながら暮らしていて、親戚や友人だっていたりするところを、よそからやってきた人間が勝手に「ここからこっちはフランス領で、そっちから先はイギリス領ね」なんて決めてそれを押し付けるわけだから、トラブルが起きないわけがない。以前は同じ言葉をしゃべって、同じ文化のもとで発展してきた人たち同士が急に政治体制・イデオロギーなどで分断されてしまうのだから、摩擦は起きる。

一方、日本はどうかというと、こういうタイプの国とは違って、世界でも珍しく民族の同一性がある国だ。

もちろん、アイヌ民族や沖縄など一部では民族的な多様性があるが、基本的に日本の領土には同じ言語を操る「日本人」が生活している。言語に関しても、元来のアイヌ語や琉球の言葉は外国語のようだけど、今は沖縄の人も北海道のアイヌの人も日本語のネイティブスピーカーになっている。

また、ヨーロッパやアフリカのように国と国とが地続きでない島国ということで、「国境」の概念も明確だ。たとえば、「脅威である敵国」と見なす人もいる中国や北朝鮮とは、明確に違う国だ。中国人や北朝鮮の人とは、言語も違うし文化も違う。特定の県に、日本語よりも中国語が得意だという中国系住民がたくさん住んでいるなんてこともない。

つまり、ロシアとウクライナの関係は、日本と中国・北朝鮮の関係とはまったく違うわけだ。だから今、かの地で起きていることを我々が完全に理解できるのかというと、できるわけがないのだ。国家や民族の同一性がまったく違うんだから。

ロシア国外に脱出する人々

でも、「バカ」はそういう現実から目を背けて、ウクライナと日本の状況は「同じ」だと考え、戦車やミサイルで侵攻しているロシア軍を中国人民解放軍などと重ねて、「日本もいつ攻め込まれるかわからない」なんて心配している。これも前章で説明した「違うものを同じだと見なす」という人間の能力ゆえなんだけど、この錯覚がどんどん「バカ」をワンイシューへとのめり込ませてしまっているんだよね。

ロシア料理店に嫌がらせしたりロシア人をなじっている人たちの言い分に耳を傾けると、「プーチンの暴挙に〝ノー〟を突きつけないロシア国民も同罪だ」とかって言っているわけなんだけど、これも自分たちが考える「民主主義」や「国民」という概念が、ロシア人にも当てはまると勝手に思い込んでいるからだ。

侵攻が始まった当初、西側諸国の専門家なども「これだけひどいことをやればロシアは国際社会で孤立して、ロシア国内も景気が悪くなる。まともなロシア人による〝プーチンおろし〟が始まって、比較的早く戦争は終わるんじゃないか」なんて言っていた。でも、いまだにプーチン政権は倒れていなくて戦争も長期化している。なぜ、西側諸国の専門家たちがそこを読み違えたのかというと、やはり、自分たちの考える「民主主義」というものが当然ながらロシア人にも当てはまるだろう、と一方的に勘違いしたからだ。

西側諸国の考える「国家」は、リーダーが暴走したら周囲の人間が反感を抱いて引きずり下ろそうとしたりするんだけど、ロシア人の考える「国家」はやはり帝政がベースなので、あまりそういう発想にはならないようだ。では、「戦争なんかしてもロクなことにならない」というまともな感覚のロシア人は今どうしているのかというと、ロシアから逃げてしまった。

2022年の1月から3月までの間にロシアから国外に脱出した人は、340万人ほどだといわれている。その多くは知的に優秀な人たちだ。ITの技術者といったトップクラスの頭脳をもっているような人材が、プーチンに見切りをつけてどんどんロシアから逃げ出している。昔のロシア帝国のように、勝手に国外脱出できないような厳しい国境管理をしていたら、プーチンを倒すような革命が起きていた可能性もゼロではない。しかし、今は国境の概念も変わったし、ロシア人の国家観も大きく変わっているってことだ。

一方、ロシア国内に残った人というのは、海外移住するほど経済的に余裕がないとか他国語がしゃべれないとか、国外脱出という選択肢をもたない立場にある人たちが多いだろうから、当然、政権に楯突いたりプーチンにもの申せるような人は少ない。つまり、今ロシアにいるのは、積極的にしろ消極的にしろ、プーチンを支持せざるをえないような人たちなんだ。

ロシア人を叩いてもこの戦争がなかなか終わらないっていうのには、こういうロシア特有の事情も影響している。だから、経済制裁で彼らの生活を困窮させてプーチンの政治体制をひっくり返すように仕向けるなんていうのは現実的じゃないかもしれないね。まあ、戦争を継続できないほど国力が下がって、いずれ戦争は終わるだろうけどね。

野生の熊に学ぶ、人間の常識の限界

ちなみに、動物には人間のように、「国境」みたいな、ここから先は自分たちの領土だなどという概念はない。「国」なんて概念すらもっていないのだから、当たり前だ。

でも「縄張り」があるじゃないか、って話なんだけれど、これは活動するエリアの話であって、人間が国境を越えたとか越えないとかで殺し合いをしているのとはまったく違う。

たとえば、最近でも誰々が熊に襲われたって話はよくニュースになるよね。でもあれはべつに人間が熊の縄張りに侵入したから返り討ちにあったとか、そういう話じゃない。

よくある原因としては、山中でキャンプを設営するような登山者が食べ物をテントの外に置いてしまい、それを熊が食べちゃって、そこから襲われるパターンがある。一度食べ物を発見すると、熊からすれば、その食べ物というのは「自分が見つけた自分の食料」って認識になる。人間はもちろんそんなことわからないから、「ああ、なんか動物に食べ物を荒らされちゃったな」くらいの認識で、残りの食料を持ってそのあとも登山を続けるわけでしょ。すると、熊は「自分が見つけた食料が奪われた」というふうに見るに違いない。それで自分の食料を奪った人間を追いかけて行ってトラブルになるってわけだ。

本来、食べ残しとかはもちろん、缶詰などでもテントの外に出しておいてはいけない。熊の力はすごいから、爪でちょっといじっていれば簡単に開けられる。それでひとたび味を覚えてしまったら、缶詰を持って歩いているだけでも腹を空かした熊に襲われる危険がある。

だから、山でキャンプするときは、必ず食べ物はテントの中に入れておくことが鉄則だ。熊としても、中に人間がいるのは知っているし、やはり人間は怖いから、わざわざテントに入って襲うなんてことはあまりしない。でも、食料を奪われたとなれば、熊も必死で襲ってくる。

だから、人間を襲う熊は「バカ」なのではなく、熊なりに合理的な理由で襲っているのだ。人間は自分がもってきた食料は当然、自分のものだと思うだろうが、熊にはそもそも「食料の所有権」なんて概念はないから、自分が見つけて食べたものは「自分の食料」なんだ。当たり前だ。

これは考えようによっては、人間のほうが「自分が持ってきた食料なんだから自分のもの」という概念に凝り固まっているとも言える。山に入れば、熊みたいな動物がたくさんいて、そんな「常識」は通用しない。でも人間は、それが通じると無意識に思い込んでしまう。これが「バカ」を発生させている一因だけど、変えるのはなかなか難しい。

マスク警察はマウンティング

さて、このようにロシアとウクライナをめぐって「バカの災厄」が起きている最中だが、その前に「バカ」が全世界的に大量発生したケースとなると、やはりコロナ禍である。

新型コロナウイルスに対する考え方や、医療や健康に対する対応も国によってバラバラだから、それぞれの国で、それぞれの文化や国民性を反映した「バカ」が発生して、さまざまなトラブルを起こしていた。

では、日本の場合はどんなことがあったのかというと、まず思い浮かぶのはやはり「マスク警察」だ。街中でマスクをしていない人を見かけると、「マスクをしろ」「お前のような奴がいるから感染者が減らないんだ」などと厳しく注意したりする人のことだけど、それによって、いろんなところでケンカが起きていた。なかには、注意された人が激昂（げきこう）して、相手に暴行を働くなどという事件まで起こった。

なぜこんな混乱が起きたのかというと、「マスクでコロナウイルスが防げる」というのが、きわめてあやふやな話だからだ。世界でも、予防効果が「ある」と言う人もいれば「ない」と言う人もいて、実際にマスクをつけていてもコロナに感染した人なんて山ほどいるし、逆にノーマスクなのにぜんぜんかからない人もいる。だから、アメリカやヨーロッパなんかでは、マスク着用を呼びかけてもみんなそれほどつけていなかったりする。

ところが、日本では「マスクをつけろ」という錦の御旗を振りかざせば、どんな人でも言うことを聞くと思い込んでいる人も多いから、マスクをつけない人間が目に入るだけでマウントをとる。だから厳しく注意をする。一方、「マスクなんかまったく意味がない」と思ってマスクをつけていない人からすれば、そんな注意はケンカを売られたとしか思えない。どちらも意地を張り通そうとすると、最後はトラブルになる。

信念がなく「風」に流される日本人

また、本書で言っている「バカ」とはちょっと違うけれど、「マスク」は日本人の同調圧力の強さも改めて浮かび上がらせたよね。

「日本人は世界一マスクをしていて真面目だ」などと言っている専門家がいる。しかし、なぜ日本人がみんなマスクをしているのかというと、「感染拡大を防ぎたい」とか「コロナが怖いから」という人はすごく少なくて、ほとんどの人にとって「みんながつけているから」というのが理由だということが、さまざまな調査でわかっている。

つまり、「マスクなんて暑いし面倒くさいけど、つけていないと変な人だと思われるから、とりあえずつけておくか」という人がほとんどだ。言ってしまえば、赤の他人に「マスクをつけろ！」なんて叱りつける「バカ」は少数で、ほとんどの日本人は、マスク着用の善し悪しについてなんてまったく自分の頭で考えておらず、周囲に流されているだけ。つまり、かなり「いい加減」なんだよね。

この「いい加減さ」はある意味で日本人の特徴だ。

たとえば、第二次世界大戦の時にも「日本は神の国だ」「負けるわけがない」と妄信して、さらには戦争に批判的な人を「非国民だ」と言って叩く、「マスク警察」みたいな人もたくさんいたわけだけど、じゃあ実際に戦争に負けたら、そういう人たちはどうしたのか。みんな黙っちゃった。

山奥にこもりゲリラになって徹底抗戦するといったようなこともせず、みんなマッカーサーの言いなりだった。「一億玉砕」「鬼畜米英」とか騒いでいたと思ったら、ほんの数年後には「民主主義万歳」なんて手のひら返しみたいなことを言い出して、沖縄に米軍基地をつくることが愛国だとかのたまうんだから、あまりに節操がない。

つまり、昔も今もほとんどの日本人には信念なんかなくて、その時々の雰囲気に合わせてうまく立ち回っているだけってことなんだ。これは「バカ」とはちょっと異なる問題だけれど、これも間違いなく日本に災いをもたらすよね。「風」によって、言っていることがまったく逆になるってことだからね。

たとえば、自民党はこれから憲法を改正するって言っているけれど、実際にそうなったあとで日本国内の「風」がガラリと変わって、自民党は政権の座から転落するかもしれない。そうしたら今度は急に、大衆は自民党を徹底的に叩き始めるかもしれない。もともと信念があるわけじゃないから。もうメチャクチャだけれど、これが日本って国だからね。わかっちゃいねえんだろうけれどね。

データがないワクチン論争は不毛でしかない

あと、コロナ禍で発生した「バカ」といえば、やはりワクチンをめぐる「バカの災厄」も記憶に新しい。「打ったほうが絶対にいい」「いや、打つと逆にワクチンで死ぬんだ」とか、極端な意見がネットやSNSに溢(あふ)れかえっていたことで社会が混乱した。

これも、ロシアとウクライナの紛争で浮上した「善悪二元論」と同じである。そもそもワクチンというのは絶対的なものではないので、打つ、打たないは個人の事情でどちらに決めてもいいわけだ。高齢者はかかると重篤になりやすいので打ったほうがいいとか、子どもはコロナにかかっても大したことにはなりにくいとかいろいろなパターンがあるはずなので、ワクチンを打つか打たないかの二択で議論が成立するわけないんだよね。

実際、私なんかも2回目まではワクチンを打ったけれど、3回目は打たなかった。私としては、3回目はオミクロン用のワクチンじゃないから、そんなに効かないという海外のデータもあったということ、さらに、そのわりには重い副反応があるということを総合的に判断して、「今回は打たないほうがいいんじゃないか」という結論に至ったわけだ。しかし、もちろんそれとは逆の考え方もあって、各々の個人の自由でいいわけだ。

しかし、なぜか日本では「接種率90パーセント以上を目指せ」とか言っていたから、ワクチンを打つ、打たないっていう極端な選択しかないというオール・オア・ナッシングになってしまった。だからいろんなところから「ワクチンバカ」と「反ワクチンバカ」が発生して大混乱になったんだよね。

本来はそんなに単純に割り切れる話ではないんだけど、「ごくわずかだけど打ったほうがメリットがある」とか「あなたの場合は打つことをおすすめする」なんて説明だと、聞いていてなんだか軟弱な気がするよね。「絶対に打つべき」「いや、打ったら死ぬ」って歯切れよく言ったほうが、勇ましくて気持ちがいいというのもあるんだろう。

さらに事態を悪化させたのが、国がデータを出さないという問題だ。ワクチンなんだから、やはりどれだけの人が打って、そのうちの何人にどんな副反応が出て、そのなかで何人が亡くなったかなどの統計データが必ずあるはずだ。それをリアルタイムでちゃんと出していけば、みんなそれを見てそれぞれが自分で判断してワクチンを打つかどうか決められるわけだけれど、今回はそういうデータが出されていない。

私も、ワクチンのことを聞かれて「わからないけど、たぶん安全かもしれない」とか言うと、「科学者なのに〝かもしれない〟とは何事だ」って文句を言われるんだけど、そんなのデータがないんだから判断のしようがない。このような感じで、客観的な判断材料がほとんどないところで、イデオロギーの異なる者同士が互いの揚げ足取りばかりをしているのが、今の日本のワクチン論争だ。科学的なエビデンスじゃなくて自分の信じている説だけに基づいて、反対する奴を叩くという不毛な争いが起きているわけだから、これもある意味では「バカの災厄」だ。

陰謀論はどうして広まったのか

このような「ワクチン論争」に象徴されるように、今、世界的に問題になっているのが「陰謀論」だよね。

たとえば、アメリカではトランプ元大統領を支持する極右系陰謀論者「Qアノン」と呼ばれる人々が、「米民主党やハリウッドには密かに悪魔を崇拝している連中がいて、トランプはこういう連中と戦っている」なんて失笑ものの陰謀論をSNSやユーチューブで流している。

問題なのは、それをけっこう真に受けている人が多いということだ。アメリカ人の16パーセントがQアノンを支持しているなどという調査結果もあって、実際、そういう陰謀論に基づいて、過激なデモや暴動などの極端な行動に走るアメリカ人もいる。このようにとんでもないデタラメが広まるというのは非常に象徴的で深刻な「バカの災厄」だ。

この手の陰謀論が拡散した原因としては、やはりSNSの普及が「バカ」による情報収集と情報発信を容易にしたことがとても大きい。

陰謀論支持者というのは、自分が信じている話があると、とにかくそれを補強するような言説ばかりを集めたがる傾向がある。科学的な根拠があるとか、信頼のおける研究者たちが査読した論文だとか、そういった信頼性を鑑みることなく、自分の好きな話に結びつけられるかどうかという一点にこだわり言説をかき集めていく。SNSはそんな怪しい話ばかりだから、情報収拾にはもってこいなんだろう。

そうやって恣意的に集めた情報をパズルみたいにくっつけて、「これとこれがつながったから正しいことなんだ」って、どんどん自分にとって都合のいいストーリーを組み立てていく。すると最終的には、常識的にはありえないような突拍子もないストーリーができあがる。さらに、それを自分と同じような考えの人たちに広めるのにもSNSは有効だ。

たとえば、ワクチンに否定的な人は、SNSで世界中から「ワクチンを打って急死した」とかそういう話ばかりを集めてくる。こんなにたくさんの人が死んでいて、なかにはひどく苦しんで死んだ人もいる、といった極端な話ばかりを集めていくので、論調もどんどん先鋭化する。それがさらに、ワクチンは毒だとか人類の数を減らすための計画だとか、ワケのわからないストーリーに加工されて、またＳＮＳで広められていく。ワクチンがいやな人はＳＮＳでそういう情報を探しているから、すぐにこうした話が引っかかってきて、それを真に受けて拡散するというのが繰り返されていく。これが世界的に広まれば、ワクチン陰謀論の一丁あがりだよね。

最近、アメリカで、事実よりもデマのほうがＳＮＳで圧倒的に早く拡散されるという調査があったけれど、「陰謀論」ってのはまさしく、「バカ」がＳＮＳというとんでもない武器を持ってしまったことの大きな弊害なのだ。

教育レベルの低下で陰謀論者が増える

実際に、ＳＮＳが普及する以前は陰謀論もそれほどは広がらなかった。情報を入手するのはテレビ、新聞、雑誌からが基本だったし、それらのメディアには一応、ディレクターや編集者、記者らという「情報のフィルター」が存在するので、あまりにもひどいデタラメとか根拠のないフェイクニュースとかが扱われることはほとんどなかった。

でも、ネットが普及していくことで、グーグルでちょっと検索するだけで自分の欲しい情報がなんでも手に入るようになった。そこにはフィルターがないから、ちゃんとした情報ももちろんあるにはあるけれど、怪しい情報もかなりたくさん流れている。そんな玉石混淆の情報をノンフィルターで手軽に入手して、さらに自分でも世界に発信できるようにしたのがＳＮＳだよね。

こうなると、「バカ」にとんでもなく危険な武器を渡してしまったようなものだ。それからあともうひとつ、陰謀論がこれだけ広まってしまっている原因には教育レベルの低下がある。

たとえば、科学的に胡散臭い話が出回っているとき、まず私たち科学者は、現在の一般的なパラダイムに整合的かどうかを判断して、次に「どこのジャーナルで発表された論文なのか」などを確認する。『ネイチャー』などの科学誌も個人で購読できるし、今は環境問題でも医療の話でも、海外の論文はネット上でタダで誰でも読めるわけだから、ある程度の語学力と時間があれば、科学的に妥当なのかどうかくらいのことはおおよそ判断がつく。

ただ、一般ではそこまでする人は少ないので、結局どうするのかというと、自分の科学リテラシーと照らし合わせて、「科学の常識からして、そんなことはありえないんじゃないか」とかいった肌感覚で判断するしかない。つまり、基礎的な教育レベルによって、陰謀論に騙されるのか、あるいはその嘘を見抜けるのかという差が生じるのだ。

要するに、コロナワクチンのデマが流れてきたときに、「遺伝子とは何か」ということをある程度理解できている人と理解できていない人とでは、デマに対する耐性がぜんぜん違う。そういう意味では、「ワクチンを打ったら2年後に死ぬ」という極端な陰謀論に傾倒しちゃっている「バカ」が多いというのは、それだけ日本人の科学リテラシーが低下しているってことだよね。

このあたりの「バカ」と教育についての問題は、次の章で詳しく解説していきたい。

メダル獲得で大騒ぎする五輪は「バカの祭典」

コロナ下の日本では、こんなふうにさまざまな形で「バカ」が次から次へと発生していたんだけれど、ちょうど同じ時期に、これまでとはややテイストの違う「バカ」が引き起こした社会的混乱もあった。

それは「東京五輪2020」にまつわる「バカ」だ。あれは一応、アマチュアスポーツの祭典、平和のイベントということになっているのだが、残念ながら日本で行われた五輪は、「バカ」が大量発生して日本中を混乱させる「バカの祭典」になってしまった。

新型コロナの感染拡大で飲食店が自粛や時短営業を求められるなかで、東京オリンピックを開催するか否かということについては、最後の最後までいろいろなすったもんだがあった。そういう議論のなかで、「とにかく、五輪というのは人類共通の普遍の正義だから、どんな状況でも開催すべきだ」という「五輪原理主義」みたいな人がたくさん現れた。

しかし、五輪というスポーツイベントに関心のない人は世界でもたくさんいるし、日本みたいに国家を挙げてバカ騒ぎをする国ばかりではない。実際、私も東京オリンピックをまったく観ていないので、開会式がどうとか、誰がメダルを獲ったとか言われてもよくわからない。海外でもおおむねそんな反応なのだ。

でも日本は、五輪の開催は今の世界に絶対に必要なもので、開催することが絶対に正しいことだと大騒ぎをした。「オリンピックが中止になると、アスリートが可哀想だ」とか言うけれど、それを言うのなら、歌手だってコンサートできないし、役者だって舞台ができない。一般の人だってコロナで仕事がなくなったりして大変だったわけだから、変な理屈だよな。世の中にはスポーツイベントよりも大切なものなんかいくらでもあるのに、「五輪だけは、日本国民がみんなで協力して成功させないといけないものだ」なんてことを主張していた有名人や専門家もいた。

なぜこんな「五輪バカ」が発生するのかというと、これまで解説してきたように、「気持ちがいい」というのがあるよね。

先ほども言ったように、私はこの間の東京五輪をまったく観なかったのでよくわからないのだが、これまでの五輪の中継やニュースをテレビで観てきた限り、メダルが獲れそうな日本人選手の競技ばかりを扱っていた。昔、私も趣味でスキーをやっていたので、冬季オリンピックだけはテレビでよく観戦したけれど、その時も日本人選手の試合ばかりを映していた。私としては、世界の一流選手たちの滑りをもっと観たいのに、日本人がメダルを獲ったとか入賞したとか、さらにはメダリストの恩師が出てきたり、地元の人が旗を振ったりするようなシーンばかりを紹介して、外国人選手の活躍をぜんぜん流さない。

今は熱心なサッカーファンなんかは、専門チャンネルで海外リーグの試合なども視聴できるようになって、スポーツ観戦のスタイルもずいぶんと変わったけれど、五輪だけは今でもそんなに変わっていない。多様性だとか平和の祭典だとか言いながら、結局、日本人選手がメダルを獲れるか獲れないかってことで大騒ぎしているだけだ。これはどう見ても、純粋なスポーツイベントじゃないな。

「日本人すごい」はバカの初期症状

さっきも言ったけれど、五輪をこんなふうに「自国の選手がメダルを獲れたか」なんて視点にばかりこだわって楽しんでいる国はそれほど多くもない。もともと、五輪自体に注目している国もあまり多くないんだけどね。

結局、日本人のなかには、純粋に「スポーツ」を観て楽しんでいる人は少なく、「日本人が勝つ」のを観て喜んでいる人がたくさんいるってことなんだよね。もちろん、そういう感情をもつこと自体は自然なことなんだろうし、べつに悪いことでもない。でも、これもあんまり度がすぎると、「バカ」である。

これまで解説してきたように「バカ」というのは、「違うものを同じだと見なす」

という人間の特殊能力をさらにこじらせてしまった状態にある人だ。

日本人選手がメダルを獲って「よかったね」と喜ぶくらいならまだいいんだけど、その日本人選手たちの功績を受けて、「この競技では日本はトップレベルだ」とか「日本人すごい」とか言い出したら、「バカ」の症状がかなり顕著に現れてきているといえる。

日本人にもいろいろな人がいるから、当然、なかには世界で結果を出すすごい人もいる。でも、それはその人が個人としてすごいのであって、日本人全体がすごいわけではない。でも、「バカ」は「違うものを同じだと見なす」から、日本人選手が金メダルを獲得したりすると、その人と同じ「日本人という同一性」をもっているというだけで、なんだか自分まですごいことをやったような気になっちゃったり、何か日本全体がその分野ですごくレベルが高いというふうに勘違いしてしまうんだよね。

こういう「バカ」が増えていくのは、災厄というほどじゃないけれど、ちょっとまずい。なぜかというと、これからはリアルに日本の経済力と国力は衰退していくだろうから、「日本すごい」と叫べば叫ぶほど、現実とのギャップにショックを受ける「バカ」が増えていくということだ。

次章でも詳しく解説するけれど、たとえばノーベル賞の受賞者などもどんどん日本人が減っていくと思う。マスコミは華々しく「日本人が受賞」とニュースにするけれど、実際はアメリカの大学などの海外で研究をしていて、その国の国籍をとっている人もいる。

また、囲碁なども昔は日本人がすごく強かったけれど、今は中国や韓国の人で強い棋士がたくさん出てきた。当然、中国などは人口的に母集団の人数が多いから、それだけ優秀な人間もたくさん出てくるはずだ。一方、日本は少子化で若い人の数が少なくなっているから、スポーツや文化面で優秀な人も出にくくなっている。また、テニスの大坂なおみさんとか錦織圭さんのように、海外で才能を開花させる人もいる。

このような感じで今、日本は経済でもカルチャーでも科学でもどんどん衰退してしまっているから、せめてスポーツくらいは「日本すごい」と騒いで、いい夢を見たいというのもあるんだろうけれど、もうちょっとフラットな視点をもっていたほうがいいと思う。

プライドの高いバカが起こす無差別殺傷事件

さて、ここまではおもに社会を混乱させる「バカ」について考えてきたけれど、「バカ」のなかには他人を罵ったり迷惑をかけたりするだけでは気が済まず、物理的に傷つけて時には命まで奪ってしまう、というケースにまで発展することもある。

その代表が、近年増えている無差別殺傷事件だ。少し前には、京王線や小田急線などの電車のなかで突然、乗客に切りつけたり車内で放火をしたりという事件が続発した。また、東大を目指していた高校生が、わざわざ受験当日に東大にやってきて、受験生などを切りつけてケガをさせるなどという事件もあった。

こういう「バカ」はひと言で言えば、自我が極度に肥大してしまった状態だ。

とにかく自分が大事でしょうがないので、「自分の尊厳を守りたい」という考えに取り憑かれてしまって、逆にそのためだったら自分の命なんてもうどうでもよくなってしまう。だから、こういう事件を起こす人間は捕まったときに「人を殺して自分も死のうと思った」とか言うことが多い。他人を巻き込んだ自殺、だから「拡大自殺」なんて呼び方をすることもある。

これを聞いて「自殺なのに、なぜ関係ない人を傷つけたりするのか」と不思議に思う人もいるだろうけれど、それは「自分の尊厳を守りたい」からだ。とにかく自分が大事で、自分は価値のある人間だと思っているから、そんな自分がひとりで死ぬっていうのは我慢できないんだ。要するにプライドが高いのだ。

なぜそんなことが断言できるのかというと、この拡大自殺という問題は世界中で起きており、並行していろいろな研究も進んでいるからだ。統計的には女の人はあまりこういうことをやらない。もちろん女性の殺人者だってたくさんいるし、なかには残忍なことをする人もいるけれど、「自分だけは生き延びよう」と考えることが多いのか、「自分が死にたいから周囲の知らない人間も巻き添えにしよう」という発想にはなりにくいようだ。生き物としても、女のほうが男よりも生きる力が強いってことなのかしらね。

それからアメリカでは、統計的に白人男性がこういう犯罪に走りやすくて、黒人の男性がやることは少ないという。また、マレーシアやインドネシアなどでは、部族社会のなかで突然、無差別殺人をするような人のことを「アモック」と呼んでいて、こちらもやはり社会問題になっているのだけれど、このアモックも男性に限られるといわれている。

そういうところからも、やはり、こうした無差別殺人は社会のなかで自分は「偉い」と考えている人の自尊心が暴走した結果の自殺、と考えられているのだ。

称賛されるなら死んでもいいというバカ

このように「俺は偉いんだ」とか「俺は選ばれた特別な人間だ」などと自尊心が増大しすぎた「バカ」がもたらす災いは、なにも拡大自殺だけではない。

こちらはかなり特殊なケースだが、「自分の考えや存在を社会に知らしめるために大量殺人をする」という「バカ」もいる。その代表が、神奈川県の知的障害者施設「津久井やまゆり園」で大量殺傷事件を起こした男だ。この男は施設の元職員で、深夜に侵入して就寝中だった障害者19人を次々と刺殺、入所者・職員など合わせて26人に重軽傷を負わせたわけだが、彼は「誇大妄想」にとらわれていたことがわかっている。

もともとこの男は、「障害者は社会に不要な存在だ」などという主張を訴えていて、事件前にも、政治家などに自分の考えや犯行予告ともいえるような内容を手紙で送っていた。つまり、この男にとって大量殺傷事件は、自分の思想や主張を社会に周知するための意味もあったということだ。

多くの人の場合、自分の考えを広く社会に伝えたいと考えたとき、本でも書こうとかネットやSNSで発信しようとなるが、この男にはそういう能力もなかった。財力や人脈があれば、政治家になって世に訴えることも考えられただろうが、そんな選択肢もなかった。

そこでこの男は「事件を起こして注目を集めよう」と思いついたわけだよね。とにかく本人のなかでは、「自分は国家のためになる崇高な理念のもとに活動をしている〝偉い人間〟だ」という強烈な思い込みがある。そんな偉い自分や主張が世に認められていない事実に納得がいかない。

そこで、大量殺人を思いつく。大事件を起こせばマスコミは絶対に取り上げて、「犯人はこんなことを考えている人間だ」と朝から晩まで報道してくれる。殺人鬼だと罵られるし、死刑になるかもしれないけれど、なかには自分の主張に賛同してくれる人間もいるかもしれない。たったひとりからでも、「あいつは人類のためにすごいことをした」と尊敬されるようなことがあれば嬉しいし、この「崇高な目的」のためだったら、自分の命や他人の命が失われることなど小さなことだ――。そんな歪んだ考えに取り憑かれていたのではないかと思う。

なんとも狂気じみた話だけれど、自我が異常に肥大化したという点では、これも一種の「拡大自殺」かもしれない。

あおり運転は相手への「お仕置き」

「バカ」が見ず知らずの人間に迷惑をかけまくっているという構造において、大量殺傷事件とかなり近いのが、近年問題になっている「あおり運転」だ。

自動車というものは多くの人の命を奪う「走る凶器」となりうる側面もあるので、それを使って見ず知らずの人を威嚇するというのは、道で刃物をちらつかせて通行人を脅しているようなものだ。

そしてもうひとつ、大量殺傷事件と共通しているのは、行動の根底に「自分は偉い」「自分は正しい」という強い自尊心があることだ。なぜ目の前の車をあおるのかというと、やっている側の心理としては、相手への懲罰、あるいは「お仕置き」のような意味もあるのだと思う。ノロノロ走っていたらみんなに迷惑だとか、急な割り込みをしたら事故が起きるかもしれないじゃないか、という意識から、「こんなマナーの悪いドライバーは自分が懲らしめてやる」というように飛躍した考えが原動力になっている。それはつまり、「俺のほうが正しい」と思い込んでいるわけだ。

少し前に東名高速で、家族が乗った車に対して執拗にあおり運転を続けた男がいて、その結果、衝突事故が起きて2人の命が失われるという悲劇があったけれど、このケースでも、あおり運転していた男は裁判などで「自分は悪くない」と主張していた。自分は正義を実行していただけで、その過程で人が亡くなったとしてもそれは自分のせいじゃないという考え方は、大量殺人犯の思考とよく似ているよね。あちらも基本的には、「自分は正しいので、殺人を犯したとしても悪くない」という考えだからね。

こういう「バカ」に共通するのは、自分の正義を客観的、相対的に見ることができないという点だ。たしかに、世の中には追い越し車線をノロノロ走ったり、踏まなくていいところでブレーキを踏むような運転がうまくないドライバーがいて、危ないというのはあるけれど、あおり運転のほうがもっと危ないことをしている。そういう客観的な比較もできず、「バカを懲らしめている自分は正しい」って考えがこびりついちゃっているわけだ。

自分が正しいということさえ証明できれば、自分の命も他人の命もどうでもいいというのも、大量殺傷事件、つまり拡大自殺とよく似ている。高速道路を走る車の後ろにピタッとつけるなんて、冷静に考えれば重大な事故につながりかねない危険な行為だよね。下手をすれば、相手も自分も死んでしまうかもしれない。先ほどの東名の事故なども、あおり運転をしていた奴は、高速道路上なのに車を停めさせて相手を車外に引っ張り出したところを後続車にはねられ、自分も大ケガを負っている。「自分が正しい」ことを証明するためには自分の命も他人の命も粗末に扱う、拡大自殺の特徴と見事に重なる。

ターゲットにするのは自分より弱い人

こういう「バカ」が卑劣なのは、自分よりも弱い相手しかターゲットにしないという点だ。「バカ」なんだけれど、そういう部分だけはすごく頭がまわって、ちゃんと「勝てそうな相手」を選んでいるのだ。

これまでの「あおり運転」の被害者を見ても、家族連れやカップル、老人など、明らかに自分よりも弱そうな相手をあおっている。ヤクザが乗っているような黒塗りのベンツをあおったとか、ものすごく大きなダンプカーをあおったなんて話はほとんど聞かないよね。

そんな相手にあおり運転をしても、返り討ちにあってしまうからだ。もしダンプカーなどをあおって向こうが急ブレーキを踏んで追突したりしたら、自分の車はペシャンコだが、ダンプカーやそのドライバーにはほとんどダメージはない。また、怖い人たちをあおったら逆に袋叩きにされて、「自分が正しい」どころの騒ぎではなくなる。

だから結局、「いざとなったら勝てるな」なんて判断をしながらケンカを売っている。姑息（こそく）というか、心底情けない話だ。

これは、構造としては大量殺傷事件にも似ている。こういった事件の犯人は「人を殺したかった、誰でもよかった」などと言うけれど、小学校へと突っ込んで行ったり、登下校中の子どもを襲ったりすることが多い。街中や電車で刃物を振り回す奴も、体が大きくて強そうな人は狙わず、女性や老人を狙うことが圧倒的に多い。

「誰でもいい」とか言いながら、ちゃんと「自分よりも弱そうな相手」を選んでいるのだ。もし言葉のとおり、本当に「誰でもいい」のだったら、暴力団の事務所とか自衛隊の駐屯地とかに乗り込んでもよさそうなものだけど、そういうことはしないで障害者施設とか小学校とか保育園に向かい「弱い人」たちをターゲットにする。

これまで見てきたように、「バカ」というのは「自分は絶対に正しい」という考えに凝り固まっているので、自尊心が非常に高い。だから、「自分は正しい」ということを確実に証明するために、なるべく「自分より弱い相手」を攻撃する。こういう、自尊心を満たすための弱い者いじめということも、代表的な「バカの災厄」だ。

「絶対に逆らわない相手」に罵声を浴びせる

そんな弱い者いじめをする「バカ」の代表が、モンスタークレーマーだ。

これはお店のサービスや商品にいちゃもんをつけて、店員やお客様コールセンターのスタッフなどを恫喝(どうかつ)したりしてストレスを発散するような「バカ」だ。そして先ほどの「あおり運転」とまったく同じで、自分よりも弱い相手を選び罵詈雑言を浴びせるという攻撃をすることで、自尊心を満たしている側面が強い。

店員と客ということで見ると、やはり客のほうが立場は強い。店員やコールセンターの人などは絶対に自分に反撃してこないだろうという確信があるので、思う存分いじめることができる。ちょっと前には、モンスタークレーマーが店員に土下座を強要して、それを写真に収めたなどという事件があったけれど、あれは絶対に逆らわない相手を平伏させることで「俺は偉い」と自分に言い聞かせて、自尊心を満たしている行為だ。

そして、これらも原動力になっているのは「正義は自分のほうにある」という思い込みだ。「店員側に非がある」ので、「こちらは、客として正当に注意をしてやっているという大義名分がある」。つまり、「正しいのはこっちなんだから、何をしても許されるんだ」という考え方だ。

これとまったく同じ考え方をしているのが、ネットやＳＮＳの世界で「ネトウヨ（ネット右翼)」と呼ばれる人たちだ。政治家や企業などが、中国や韓国とちょっと友好的な関わりをしたりすると、「こいつは愛国的じゃない」とか「反日企業だ」などと文句を言っては、ネットやSNSで悪口を拡散しているけれど、これも自分の同一性に固執してしまいその場所から一歩も動けない状態だ。自分が絶対だと信じるものがあって、それが心の拠り所だから、少しでも自分とは違った考えとか自分とちょっと感覚が違う人を見るともうパニックになって、とにかく全否定しないと気が済まない。

本当に賢い人は、自分の同一性のほうが「正しい」というか、「合理的だな」と感じていても、自分と異なる同一性をもっている人間が世の中には山ほどいるということを理解しているから、そういう人たちを「自分と異なる」という一点だけで批判・攻撃してもしょうがないと考える。

ここがすごく重要なポイントで、「バカ」と「バカじゃない人」の分岐点だ。これは頭のよさとか教養の有無なんかはいっさい関係ない。実際、知識人といわれている人のなかにも「バカ」はかなりいる。

キャンセルカルチャーとあおり運転の類似性

私もよく知識人とか専門家という人たちから議論をふっかけられるのだが、たとえばそのなかには、「お前の言ってる〝平和〟というものはなんだ、定義をしてから言え」などと食ってかかってくる人もいる。

前章でも話したように、コトバというのは基本的に「違うものを同じだと見なす」という恣意的な同一性の上に成り立っていて、抽象的な概念は指示することができないので、厳密な「定義」なんてできるわけがない。「平和」という概念についての解釈なんて人によってそれぞれ違うはずで、自分の頭のなかの同一性も他人の頭のなかの同一性もさし示すことができない以上、会話をしながらなんとなく理解する以外に、相手の同一性を理解する術はない。でも、そういうことをわかっていない人は、「定義だ」「定義をしないと議論が始まらない」って、そこから一歩も動かない。どんなに知識があったって、そういうところは「バカ」だよね。

「ネトウヨ」と呼ばれる人たちも同じで、実は自分の同一性なんて絶対ではなく、ワンノブゼムだということが理解できない。自分は絶対的に正しくて相手は間違っているので、どんなひどいことをしても許されるって思い込んで、罵詈雑言を浴びせるわけだ。

この「自分は正しくて相手が間違っているので、何をしてもいい」という考え方は、2010年代半ばからアメリカで活発になって、いまや世界中に広がっている「キャンセルカルチャー」にもまったく当てはまるよね。

キャンセルカルチャーとは、政治家や芸能人といった有名人が、過去の不祥事や不適切な言動をSNSで告発・拡散されることで社会から追放される排斥運動と、それをよしとする風潮のことだ。日本でも人気のあった芸能人の不倫が発覚して大炎上、仕事を失ってしまったなんてことは、いまや珍しくなくなっている。

このキャンセルカルチャーも基本的には、相手が悪いことをしたのだから、SNSでリンチのような制裁を受けてもしょうがないという考えに基づく。だから、制裁を下す側はどんなにひどいことを言っても、どんな罵詈雑言を吐いても許される。

当人が不祥事を起こしたのは事実だとしても、それを攻撃する側がやっているいやがらせみたいなことが無条件で正しいなんてことはない。しかし、キャンセルカルチャーに加担する人たちには、そういう視点はない。自分の正義というものを客観的に、相対的に見ることができないという点では、やはりあおり運転をしている連中と大差がない。

「いいね」の奴隷になるバカ

「ネトウヨ」や「キャンセルカルチャー」のように、ネットやSNSで自分と異なる考えの人を執拗に叩く人たちの頭のなかをどう理解したらいいのかということでよく言われているのが、自己承認欲求の充足だ。

間違っていることを誰よりも早く指摘して、批判をすることで、SNSやネットの世界で「お前はすごいな」「こんなことに気づくなんて賢いな」と褒められ、認められたい。そういう自己承認欲求が、「ネトウヨ」や「キャンセルカルチャー」などの原動力になっているのではないか、という見立てである。

　これはたしかに一理ある。自己承認欲求が強い人というのは、「メタレベルの自分」から見た、「リアルな自分」の不甲斐なさが我慢ならない人だ。だから、どうにかして「メタレベルの自分」から見たときの「リアルな自分」を認めたいんだけれど、自分だけが承認しても満足感が得られないから、他人にも承認してほしい。要するに、とにかく誰かに褒められたり認められたりしたいのだ。

　でも、他人が褒めたり認めたりしてくれる自分は、実は「リアルな自分」ではなく、「見せかけの自分」だ。

　よく人は「本当の私」とか言うけれど、「リアルな自分」は時々刻々と変化しているわけで、多少なりとも同一性を孕む「自分」というものは、社会が「私」という存在をどう思っているか、つまりは「他人の目から評価された私」なのだ。そういう表面的なところが褒められたり、認められたりしているだけだから、べつに「自分の存在」が誰かに承認されたわけではない。

非常にわかりやすいのが、フェイスブックやインスタグラムなどといったSNSの「いいね」機能だ。こんなきれいな景色を見ていますとか、高級レストランに行ってこんな美味しいものを食べましたってSNSに投稿すると「いいね」がもらえたりするわけだけど、これはべつに「自分の存在」が承認されたわけではなく、「SNSをやっている人が評価するようなオシャレな写真を投稿した私」に対して、みんなが「いいんじゃない」と褒めているだけだ。だから、すごく表面的な話だ。

他人が褒めたりけなしたりするのは「見せかけの自分」に対してであることがわかっているうちはまあいいのだけれど、こういうことにのめり込み、ずっと続けていくと、「見せかけの自分」と「リアルな自分」の区別ができなくなり、徐々に精神が不安定になっていく。「いいね」のために行動する「見せかけの私」が、「リアルの私」と重なってしまうと、たとえば、「いいね」欲しさにやることはすべてOKとなり、「やらせ」みたいなこともしたりするようになる。要は「いいね」の奴隷になってしまう。

他人から褒められたい、というのは人としては自然な感情だと思うけど、それも行き過ぎると人生がおかしくなるって話である。

バカはなぜ謝罪と訂正を求めるのか

このように「ネトウヨ」や「キャンセルカルチャー」がはびこる背景には自己承認欲求が関係していることを考えると、なぜこの手の人が攻撃的になるのかもよくわかる気がする。

先に述べたように、ネットやSNSの世界で生きている人の「私」というのは、「リアルな私」ではなく、ネットやSNS上にだけ存在し、上っ面の話だけをしている「見せかけの私」なのだ。でも、そんな上っ面の人格であっても、それが誰かの間違いを指摘したり過ちを厳しく叩いたりすれば、なんだか偉そうに、賢そうに見える。そんなふうに褒められているのが「見せかけの私」であっても、「メタレベルの私」から俯瞰して眺めれば、「俺もなかなかのものじゃないか」と多少なりとも心が満たされるのかもしれない。これが自己承認欲求を満たしているという状態だ。

それに加えて同じような考えの人から賛同され褒められたりしようものなら、舞い上がって、もう歯止めも効かなくなりさらに過激な言動になっていく。そうすると、最終的には誹謗中傷や威力業務妨害などで問題になったりしてあんまりいい人生を送れないから、ほどほどにしたほうがいいよ。

裏を返せば、このような自己承認欲求の強い人というのは、「承認されないことが怖い」っていう状態にあるんだ。誰かが承認してくれないと不安で落ち着かない。だから、とにかく誰かの目にとまるために過激なことを言うし、派手なアクションを起こす。

つまり、まず「承認されないと怖い」という強い不安があり、そこから逃れたいがために攻撃的になっている部分がある。

あおり運転をしかけてくる人が相手を執拗に追いかけ回して、車を止めさせて「降りてこい」なんて言って、謝罪させたり罵声を浴びせたりするのとまったく同じように、「キャンセルカルチャー」でも何か失敗したり不適切な発言をした人をしつこく追いかけ回して、謝罪と訂正を求める。

多くの場合、その恫喝を真に受けて謝ったら事態はさらに悪化する。「キャンセルカルチャー」の人たちと思考回路が似ている、モンスタークレーマーの例がわかりやすい。どう考えてもこっちに非がないのに、客というだけで高圧的な態度で謝罪を求めてくるような相手に下手に謝ってしまうと、どんどんつけ上がって「誠意が足りない」とか「もっと上の立場の奴を出せ」などと言ってきて収拾がつかなくなることが多い。

揚げ足取りされたら「煙に巻く」

モンスタークレーマーは、何を言われてもけっして謝らないでいると、面白くないから捨て台詞(ぜりふ)を残して去っていく。脅迫まがいのことを言い出したら、「警察を呼びます」と言うと、すぐに逃げていく。結局、目的は自尊心を満たすことだから、警察とか第三者に介入されるなんていう大ごとにして、自分の立場を弱くしたくないわけだよね。

そういう意味では、過度なキャンセルカルチャーに対しても、「謝らない」というのは有効だ。「謝罪して訂正しろ」と迫られたとしても、放っておけば相手も面倒臭くなって、そのうち何も言わなくなる。私もあんまり謝罪とかはしないタイプだけど、武田邦彦氏なんか私よりも強烈だから、誰に何を言われたってまず謝ったりはしないよね。だから、武田氏を叩いているほうもだんだんバカバカしくなってきて、そのうち何も言ってこなくなる。

もうひとつのやり方としては、「煙に巻く」というのもある。

私も、一種のキャンセルカルチャーの標的になったことがある。「れいわ新撰組」の山本太郎代表を応援しているので、昔、SNSで「山本太郎はいいね」なんてことをよくつぶやいていたんだよね。すると、どこからともなく「呼び捨てにするのは失礼だ、山本太郎さんと呼べ」って食ってかかってくる人がいて、謝罪と訂正を求めてきたわけだ。山本太郎氏本人に言われるのならまだわかるけど、まったく関係ない奴になんでそんな揚げ足取りをされなきゃいけないんだってすごく面倒臭くなったし、考えようによっては、いきなりそんなふうに絡んでくるほうが遥かに失礼な話だよね。

非常にバカバカしい事例ではあるが、これもまさしく「相手に非があって、こちらは正義なのでどんな非常識なことをしても許される」という、キャンセルカルチャーやあおり運転の考え方だ。

ちなみに、こんな言いがかりにいちいちまともに相手していたらきりがないと思ったので、この人に対してはこんなふうに返した。

「歴史に残るようなものすごく偉い人は、呼び捨てでもいいんだよ。夏目漱石のことを『夏目漱石さん』とかって言わねえだろ？　私は山本太郎をものすごく尊敬してるから呼び捨てでもいいんだよ」

それ以降、パタリと返事がなくなった。キャンセルカルチャーの人たちは基本的に「自分は正しい」というのを証明するために他人を執拗に攻撃し、謝罪や訂正を求めることで自尊心を満たす。おそらくこの私の回答で、それ以上攻撃する気が失せたのかもしれない。

第4章で詳しく解説していくが、このように、「こいつに絡んでも得がない」と相手に思わせるということも「バカの災厄」から身を守るひとつの手段である。

過剰なポリコレはバカをこじらせた結果

このように人の言動を細かくチェックしては、「不適切だ」「差別的だ」などといちゃもんをつけて謝罪や訂正を求めていくというのは、近年、世界的に流行している「ポリティカル・コレクトネス（political correctness）」にも当てはまる。

これは直訳すると「政治的正しさ」となるように、政治的にも社会的にも公正で中立的な行動をしようという話だ。たとえば、社会的マイノリティを差別するような政策をとったり、彼らに向かって差別的な発言をしたりすれば、ポリティカル・コレクトネスの観点からＳＮＳやネットで総攻撃にあう。そして、その政策の撤回や発言の修正や謝罪を求められるというわけだ。

このように、社会全体で公正さを求めていくという理念自体は悪いことではない。ただ、これも非常に基準が難しくて、先鋭化すると「バカの災厄」に転じてしまうおそれがある。

この世の中で、絶対的に公正で中立なんてものはない。たとえば、日本人の考える「政治的な正しさ」と、中国人の考える「政治的な正しさ」は違う。でも、それをどちらかが「正しい」ということに決めて、そうではないほうを「間違い」だって決めつけるわけだから、当然ながら対立する。それが新たな憎悪を引き起こしてしまう。

そういう理不尽さというか、一種の攻撃性、暴力性を孕むところから、ネットやSNSでは「ポリコレ棒」なんて揶揄されている。一方的に「政治的正しさ」を掲げる側が、それと異なる「正しさ」を信じる人々を批判・攻撃して、しまいには謝罪や訂正を求めていくという暴力性をさし示しているわけだけれど、なかなか本質を突いている。

この「ポリコレ棒」とちょっと似ているのが、フェミニズム運動だ。SDGsの目標のなかにも入れられているように、ジェンダーが平等な社会を実現すると言われて、反対する人というのはそんなに多くない。宗教的な理由で反対する国もあるけれど、日本人としてはほとんどの人が「いいことだから賛成だ」って言うはずだ。

でも、そういった理念の素晴らしさはさておき、現実を見れば、男と女はいろんな点でけっして「平等」じゃない。

ジェンダー平等も度を越すと「バカの災厄」

まず、なかでも一番平等じゃないのは、女の人にしか子どもを産むことはできないということだ。「だから必ず産まなきゃいけない」とかそういう話ではなく、生物学的に、それは男が逆立ちしたってできないほどの違いがあるってことだよね。

もちろん、科学技術が進んでいるので、女の人の卵子を取り出して体外受精をして、豚の子宮か何かを借りて子どもを生み出すなどという時代もくるかもしれないけどね。

実際、今は移植手術で心臓ドナーが足りないので、豚の心臓を使えないかという試みもある。遺伝子操作をして人間と同じような免疫をもった豚をつくることで、移植しても拒否反応が起きないようにしようなんて研究が進んでいるのだ。

このように、科学の進歩によって、出産という男女の不平等さが是正されたとしても、人間の根本的なところで男女は平等ではない。平均的な話として、たとえば脳の構造も多少違うし筋力や運動能力も違う。どちらが優れているとかいう話ではなく、男も女も生き物としてそれぞれ特化している能力があるから、やっぱり得意なことが多少違うってことなのだ。

たとえば、男ばかりに力仕事させるのは不平等だということで、工事現場の女性比率を上げたとしたら、やっぱり多くの女性にとってはつらいから男と同じようには働けない。なんでもかんでも平等にすると、かえって不平等な現実を浮かび上がらせて、社会に混乱をもたらしてしまう。だから、行きすぎたジェンダー平等というのも「バカの災厄」になりやすいところがある。

本当の意味でのジェンダーフリーというものは、ジェンダーなんか気にしないで、その人が得意なこと、好きなことをやって生きていくことが認められるってことだ。要は「多様性」だ。

昔みたいに、男が必ず外で働いて、女は家事をやって子育てしろ、という話じゃなくて、男とか女とか関係なく得意なほう、好きなほうがやればいいってことだ。だから、女の人と男の人がすべて平等に子育てや家事をしろってことじゃなくて、コストパフォーマンスを考えて家庭内や家庭外の仕事の分担を考えたらいいという話だ。

女性用立ち小便器はなぜ売れなかったか

このあたりの話でわかりやすいのが、女性用の「立ち小便器」だ。

昔、あるアメリカの企業が、女性でも男性のように立ったまま小便ができるという画期的な便器を開発して売り出した。

発売前に市場調査した際には、女性モニターたちのウケもそれなりによかったのだ。トイレの時間が短くて済むので、学校などの女子トイレに設置すれば便利であることは間違いないのだが、この便器はまったく売れることがなく、この会社も倒産してしまう。

世の中にはいろんな文化・伝統があるから、便利だからといって今までの習慣を変えるのは難しい。

習慣を変えるのが難しいのは、ＬＧＢＴに関しても言えることだ。男とか女という枠に収まらない性があって「それを社会全体で認めましょう」という考え方はまったくもって正論だけれど、それをいきなり行動に移そうとすると大混乱が起きてしまう。

たとえば、世の中の多くの人は「相手が男か女か」っていうのは見てくれで判断する。これは差別とか偏見からくるものではなく、人類の歴史のなかでもずっとそういう文化だったからだ。でも、ＬＧＢＴの人には、外見的には完全に男だけれど、心は女という人もいる。じゃあ、その人のジェンダーを尊重して温泉や銭湯で女湯に入っていいってことにすると、いろんな問題が起きることは間違いない。

いくら本人が「私は心が女なので、女の人と同様に行動したい」と言ったところで外見は男なわけだから、女性のなかにはどうしても不快に思ったり、恐怖を感じたりする人もいるはずだ。また、そういうことが認められるようになると、女湯に入りたいがために、LGBTではないのにそのように偽る不届きな輩も現れるかもしれない。

だから、こういう問題を解決するのは「平等」の押しつけではなくて、個別に考えるほかはない。たとえば、温泉や銭湯などでも、裸体は男性に見せたくないという文化に配慮して、湯船は水着みたいなものをつけて入るとかにして、体を洗うところだけはついたてみたいなものをつくってそのなかでは裸になるとかね。そうすれば混浴もありだろう。

社会を何も変えないで、平等、平等といくら叫んでも、結局うまくいかない。それよりも個々人の意識の多様性に配慮した社会に変われば、それぞれの人が自分は平等かどうかなんて気にしないで暮らしていけるようになるはずだ。

人が「美しい」と感じる顔には基準がある

実際にはさまざまな「不平等」があるのに、無理に「平等」にもっていこうとすることで、これまでよりも社会を悪くしちゃうというのは、最近よく聞く「ルッキズム」に関しても言えると思う。

これは「外見至上主義」などと訳されることが多いけれど、要するに人を外見の善し悪しで判断するということだ。「美人」とか「美男子」みたいなことを言うのもよくないということで、今は大学のミスキャンパスとか、美人コンテストみたいなものにも批判が集まっている。

これもジェンダー平等と同じで、人を外見で差別してはいけないという意識をもつことはいいことなんだけど、これもまた度を越えると「バカの災厄」になってしまう。

なぜかと言うと、人にはもちろんさまざまな外見があるが、そのなかでも本来的に「美しい顔」と感じる基準みたいなものがある。つまり、ルッキズムは人間の本能みたいなものだ。

たとえば、日本人をランダムに1万人とか選んで合成し平均的な顔を作成すると、だいたい整った顔になる。唇が厚いとか、鼻が低いとかアゴが歪んでいるなどといった個性は平均のなかで埋没するから、個性的ではないけれど整った、バランスのいい顔になる。そして、それを日本人に見せると、だいたい「美人」とか「美男子」という評価になる。つまり人間は、平均的な顔を「整っているな」とか「綺麗だな」と思うようにできているのだ。

さらに言えば、左右対称の顔も「美人」「美男子」と思う。左右非対称の顔が好まれないというのには、「人間の本能」が影響している面もある。体や顔のバランスが悪かったり平均的な基準から外れていたりすると、病気の可能性もあるわけで、やはり人間も生き物だから、子孫繁栄のために選ぶ相手としては相応しくないので避けるということだ。

このように「美人」「美男子」という基準が決まっているってことは、裏を返せば、誰が見ても美人とか美男子と感じない顔の基準というのもやっぱりあるってことだ。

そうやって確実に存在するものを、「よくないからなくそう」と言い切ってしまうといろいろと無理が生じる。「美しいな」などというのは自然に湧き上がる感情でもあるし、それぞれの国や民族の文化的なものも影響しているから、それを無理やりタブーにすると、世の中がちょっとおかしなことになるおそれもある。

才能というのはもともと不平等

そもそも「顔」なんてのはもって生まれたものだ。女性の場合はうまくお化粧することができるといっても、やっぱりもともとの顔が美人かどうかは重要なアイテムになる。

現実を見れば、当然ながら「美人」ってことで得している人はたくさんいるよね。たとえば、アナウンサーで人気が出るというのは、もちろんアナウンス技術とか機転のよさとか理由はいろいろあるけれど、やはり美人が多いよね。顔がすべてじゃないけど、明らかに得をしている。でも、それはその人たちのせいじゃなくて、もって生まれたものだ。そういう意味では美人というのも、ひとつの立派な才能なのだ。

ルッキズムなどの「なんでもかんでも平等が素晴らしい」という考え方がちょっと厄介なのは、この平等という理念のために、生まれついての才能を否定する側面もあるからだ。

たとえば、スポーツ選手の成功だって、努力や運次第だというけれど、やはりもって生まれた才能によるところが大きい。エンゼルスの大谷翔平選手は、あれだけ背が高くて手足も長くて、そもそも運動神経がいい。これは本人の努力や練習以前に、まずはご両親からもらった「才能」だということに異論を挟む者はいないだろう。もちろん、それをちゃんと活かせるかどうかは本人次第なんだけれど、生まれた時点でそういう才能をもらっているのかどうかということで、その後の人生が大きく変わるという動かし難い現実がある。

頭脳だってそうだ。高校時代、私には数学がめちゃくちゃできる友達がいたのだが、彼はどんな難解な問題でもさっと見ただけで、20秒ぐらいで答えがわかった。なんでこんな難しい問題が解けるのかって質問したら、そいつは涼しい顔で、「池田が間違えるのは計算するからだよ、俺は頭に答えが浮かぶから間違いようがない」なんて言っていた。授業中も落ちこぼれの友達と将棋なんか指してよくサボっていたんだけれど、先生も何も注意しなかった。試験はいつもほぼ満点だし、授業に出席する必要なんてなかったんだ。

ただ、この友達ができたのは数学だけで、英語などはてんでダメだった。もって生まれた数学の才能があったってことなんだね。サバン症候群が有名だが、まれに7桁の同士のかけ算を瞬時にできたり、8桁の素数を言えるなんて人もいる。

アメリカなど海外では、こういう才能のある子どもは「ギフテッド（才能を授かった人）」と呼んで特別扱いをして、学年もどんどん飛び級させて、小学生くらいの年齢でも有名大学に入学できたりする。でも、日本の教育は「平等」だから、こういう才能をもっていてもみんなと一緒に九九なんかさせている。平等がせっかくの才能を潰しているのだ。海外では、こういうギフテッドの人がすごい発明をしたり、面白いビジネスを考えているのにね。

「平等バカ」が結局、社会に不利益をもたらしているという意味では、これもひとつの「バカの災厄」だよね。

「風で動く」日本人

さて、このように世界や日本で、さまざまな形で社会に混乱を引き起こしている人々の根底にある思考を検証していくと、「自分は絶対正しいので、正しくない相手には何をしても許される」と信じて疑わない状態に陥っていることが多い、ということがわかってもらえたのではないかと思う。

こうした「バカ」が増えているという問題は、日本だけでなく世界的な傾向だと思うけれど、やはり日本にいると日本の「バカ」は目立つ。先日も、山手線のホームから線路に財布を落とした男が、駅員がなかなかそれを拾ってくれないからって、いきなり非常停止ボタンを押して電車をストップさせたというニュースがあったけれど、あれは今の「日本のバカ」を象徴する騒動だった。

自分は財布を落として困っていて、それを拾うのはＪＲ職員にとって当たり前の仕事だ。それなのに、職員は「電車の運転間隔が短いから危ない」などと言ってなかなか拾ってくれない。自分は絶対に正しいのに、ＪＲは間違ったことをしている。だから、山手線を停めて大勢の人に迷惑をかけてもいいって発想だ。言っていることは、モンスタークレーマーと変わらない。

なぜ日本にはこんなにも多種多様な「バカ」がひしめいているのか。まず大きな理由としては、日本人の大きな特徴である「風で動く」ということがあるのではないかと思う。

マスクやワクチンのケースでもそうだけれど、日本人はロジカルシンキングというものが苦手だ。だから、自分で当否を判断する前に「みんながやっている」とか「まわりがやっている」という感じで、社会のムードに流されやすい。「世界ではＳＤＧｓが流行している」とか「大企業は庶民をバカにしている」とか、いろいろな「風」

が吹いているなかで、自分にとってなんとなく好ましい風に乗っかってしまう。自分の頭で考えるのが面倒臭いから、強い風が吹いたら「そっちに流れとくか」という感じで、風まかせになってしまう。

つまり、日本には「流されやすいバカ」が多いのだ。

アメリカにとっての不幸な成功体験

それがわかりやすいのが太平洋戦争だ。アメリカが日本を占領したときにマッカーサーが一番恐れたのは、反米ゲリラがたくさん出てきて徹底抗戦を続けられることだった。とくに日本人は「一億総玉砕」なんて言って、神風特攻隊などの体当たり攻撃をしていたわけだから、マッカーサーからしてみたらそれは恐ろしいよね。でも、実際に現地に行ってみたら日本人はみんなおとなしくて、「マッカーサー元帥」なんて言ってペコペコ従った。

要するに、戦争中はみんなが「天皇陛下万歳」と言って、国粋主義の「風」が強かったからみんなそれに従ったけれど、敗戦で風向きが変わって「民主主義万歳」という強い「風」が吹いてきたので、今度はそれに乗っかっただけだ。

そんな感じで風見鶏（かざみどり）みたいにコロコロ変わるから、戦時中は「最後のひとりまで戦え」「一億玉砕」なんて言っていた奴が、戦争に負けた途端に「軍国主義に騙されていた」とか言い訳する始末だ。実はそれは騙されていたわけではなくて、結局、自分の頭では何も考えていなかっただけだ。

風まかせの国をほとんど抵抗なく占領できたのは、アメリカにとっては誤算であると同時に、「ほかの国も日本と同じだろう」という誤解をもたらした。

それで「世界の警察」とか称して、ベトナムとか中東とかいろんな国に出張（でば）っては戦争したけれど、どこの国でも徹底抗戦にあって退却したり泥沼化したりした。なぜそうなったかというと、相手が「日本人」じゃないからだ。

ベトナムでもイラクでもアフガニスタンでも、それぞれの国にはそこに根づいた宗教があったり、民族としての意地とかプライドがあったりする。だから、アメリカがやってきても「はい、そうですか」とおとなしく占領されないで抵抗をする。一方、大半の日本人には宗教もないし、とくに信奉するイデオロギーがあるわけでもない。そもそも、「お上には逆らうな」という考えがずっと続いてきたから、国民が自分自身で何かを決めたとか選んだということもない。また、欧米のように市民革命をやって、市民が何かの権利を勝ち取ったといった経験もないので、「強い者に従う」という価値観が刷り込まれているのだ。

それは今も変わらない。現在の日本人のほとんどは、自分の頭で何かを考えて行動しようなんて思わない。その時に一番強い奴に従ってうまく生き延びられればそれでいい、って思っている。

だから、もし中国が日本に侵攻してきたとしても、しばらくしたらおとなしく言うことを聞くかもしれない。「鬼畜米英」なんて罵って原爆まで落とされた相手にも、今はあんなに尻尾を振って、対米従属を是としている国民だからね。「ゲリラになって最後まで中国と戦おう」なんて覚悟をもった人はほとんどいないんじゃないかと思う。

投票に行かない日本の国民

「自分の頭で考えないで風で動く」「強い者に従う」という今の日本人の特徴を示す明確なエビデンスは、「異常に高い内閣支持率」と「異常に低い投票率」だろう。

日本はとても貧しくなっていて、給料もどんどん下がって、国民1人当たりのGDPもすでに韓国や台湾にほぼ追いつかれて、いつ追い越されてもおかしくない状況だ。日本国内に住んでいると、中国などは「まだ日本のパクリをやっているんだ」などと思って下に見ている人間も多いが、上海とかに行ってみるとよくわかるけど、実際には日本は完全に追い越されている。

そんな状態なのに、内閣支持率はそれほど悪くない。賃金だってぜんぜん上がらないのだから、ほかの国だったらもっと国民は怒って、デモをやって騒いだりしてもおかしくないのに、おとなしいものだ。いろいろ文句を言いながらも、自民党が大勢を占めると聞けば、「まあいいんじゃない」と羊のように従っている。

自分の頭で考えて政策を吟味して、そこから政党や政治家を選んで投票するなんていう難しいことはやりたくないのだ。自民党が強いということならば自民党でいいし、成長戦略だとか言ってなんとなく心地よさそうな「風」が吹けば、みんなでそっちにワッと流れて行ったほうがラクってことだ。

だから当然、半分くらいの人は投票にも行かない。でも積極的に自民党を支持しているわけでもなくて、「まわりで自民党を支持している人間が多いから、まあいいか」というような感じで、戦争中と同じでまわりに合わせているだけだ。

先進国のなかでも、こんなに投票率が低い国はない。台湾などすごく投票率が高いし、韓国でも同じだ。マスコミは「若者の政治離れ」とか言うけれど、どこの国でも政治にそれほど関心がない人もいる。それでも選挙には行く。たとえば、投票率が90パーセント超というオーストラリアでは、選挙に行かないと罰金を取ったりして、次の選挙の投票権を剥奪する。これぐらい厳しいことをしてでも「選挙に行かせよう」

とするのは、これが民主主義国家の根幹だからだ。

でも、日本ではそういうことはやらない。投票率が低いほうが与党は勝つから。ちょっと前にあった東京の杉並区長選でも、前回よりも少し投票率が上がっただけで野党が勝った。こうしたことからも、政権与党の人からすると、投票率が低いほうがいいってことだ。

だから、選挙に行かない人というのは「バカ」だよね。「選挙に行っても政治は変わらない」とうそぶいているだけで、積極的に与党に投票するのもなんとなくカッコ悪いけれど、実は世の中の「風」を読んで、大勢に従っているほうが得だと思っているわけだ。長い目で見れば、それが政治の活力を失わせ、この国をさらに貧しくさせ、衰退させていることに気づいていない。それに気づく頃には、もう取り返しのつかない事態になっていそうだけどね。

ここまでいろいろな「バカ」の種類を解説してきたけれど、自分の頭で考えないで政治にまったく無関心ということでは、実は投票に行かないという人が一番の「バカ」

なのかもしれない。

日本の教育は「バカの大量生産システム」

こういう投票に行かない「バカ」が増えているという現実を見ていると、もともとの日本人としての性質もあるけれど、やはり「教育」の問題も大きいという気がする。

「選挙に行っても何も変わらない」などと言う人はマインドコントロールされているわけで、今の日本の制度では、選挙に行かなければ何ひとつ未来を変えることはできないのだ。そういう基本的なところが理解できていないのは、日本がずっと続けてきた戦後教育の成果かもしれない。

では、戦後教育の最大の問題点は何かというと、ざっくり言えば、「バカ」を増やすような教育をしてきたことだ。

小学校や中学校で教わったことなどもう忘れている人も多いだろうけれど、日本の教育現場では、小さい頃から「みんなで仲よく」「みんな平等に」「みんなで考えよう」

ってことを事あるごとに叩き込まれたと思う。これまで話をしてきた「同一性」という点で言えば、「日本人はみんな同じ同一性をもっているし、もつべきなのだから、それを大切にしましょう」ってことだ。

第1章でも説明したけれど、これは典型的な「バカ」の考え方だ。

自分の同一性が他人の同一性とまったく同じなんてことはありえないし、そもそも自分自身の「自我」というものでさえ、脳のダイナミックシステムでどんどん変わっているわけだから、昨日の自分と今日の自分だって厳密に言えば違うわけだ。

でも、人間は「違うものを同じだと見なす」という特殊能力のおかげで、そうは考えられない。これは人間が言語などを獲得した過程で身につけたものだから、ある意味ではしょうがないのだけれど、この能力が度を越えてしまい「自分の同一性は絶対」だという妄想に取り憑かれるようになると、人は「バカ」になってしまう。

自分の考えていることは絶対に正しいから、当然、みんなも同じように考えているに違いない——。それはもっと簡単に言えば、「自分も含めたみんなは常に平等で、常に同じような考えをするべきだ」ということであって、日本の教育現場で繰り返し教えてきたことだ。もともと日本人には「風に流されやすい」という性質があるところに、学校でそんな教育をされたら、子どもたちがどんな人間に成長していくのかは容易に想像できるだろう。強い者には文句を言わずに従って、「みんな一緒」「みんな平等」こそが生きていくうえで大事なことだと信じて疑わない「家畜の群れ」のようになってしまう。

つまり、日本の教育というのは、「バカの大量生産システム」という非常に罪深い側面があるってことだ。そこで次章からは、日本の教育現場の衰退と、それがどんなに恐ろしい事態を引き起こしてきたのかということについて解説していきたい。

第3章　バカを量産する日本の教育

小学校から始まるバカ化教育

日本ではなぜ、これほどまでに「バカ」が増えてきているのか。なぜ「バカ」が引き起こす災厄には歯止めがかからないのか。それらについて考えていくうえで、「教育」がもたらした弊害について検証することは、避けては通れないだろう。

前章の終盤でも述べたように、現在「バカ」が大量発生している要因としては、日本人の「風に流される」「強い者に従う」といった元来の国民性もあるが、「みんな一緒」とか「みんな平等」というのを幼い頃から叩き込まれて、自分の頭では何も考えない「羊の群れ」にされてしまった戦後教育の弊害が大きい。

そのなかでも最も罪深いのが、「とにかく規則を守れ」という教えだ。

日本でも、最近ではやたらと「一人ひとりの個性が輝く教育」とか「多様性が大事だ」とか表面上はもっともらしいことを言っているけれど、小学校入学後に真っ先に教え込まれるのが、そういう話とは真逆の「規則を守りましょう」ということである。

実は、これが日本における「バカの大量生産システム」の第一歩である。アメリカなどの他国では、学校に入ると「クラスのルール」などというものはみんなで話し合って決めることが多い。一方で、日本の学校における規則というのは、ほとんどが学校側や教師が勝手に決めたもので、子どもたちは問答無用で従わされているだけだ。そもそも学校内の規則なんて、もともと誰かの思いつきでいい加減につくられたものだ。当然ながら、時代や状況に応じて臨機応変に解釈していく必要があるのだが、日本の場合はなぜか「規則を守るのは、人として最低限のマナーです」ぐらいの優先度で、とにかく厳格に守るように強要する。個性や多様性のかけらもない教育だよね。

言うまでもなく、そういった規則にはなんの法的根拠も科学的根拠もなければ、合理性すらない。ずいぶん昔に決められたものを、どんなに時代遅れになろうと、ただ惰性や思考停止で継続している「バカなルール」も多い。

たとえば少し前、ある高校で「女子学生の下着は白」と校則で決められていて、本当に白い下着をつけているかどうかを教師が確認することもある、なんていう信じがたい話がニュースになったけれど、こういうふうに、日本の教育現場にはいったい誰が決めたのかわからないけれど、なんとなく続いている「バカなルール」が山ほどある。

画一的な教育が自分の頭で考えない国民をつくる

小学校に上がったばかりの子どもたちが、毎日のように教師から「規則を守れ」としつけられる、「規則バカ」ともいうべき画一的な教育を受け続けるとどうなるのか。「上から言われることに、とにかく従っておくのが人間のあるべき姿」だと刷り込まれている、従順な羊のような人間で日本社会が溢れ返るのだ。

これは、普通に考えれば当然のことだ。学校で「規則を守りましょう」という教育をするなかで、「私は守りたくありません」などと逆らった子どもや、「そもそもなんのためにそんな規則があるんですか」と疑問を投げかけてくるような子どもは、学校では完全に「問題児」扱いされ、周囲から腫れ物にでも触るかのような扱いを受ける。そして、教師たちはこのように言うはずだ。

「意味がどうとか言わないで、決まりなんだからちゃんと守りなさい。みんなも守っているだろう」

つまり、子どもが自分自身の頭で考えることを否定するような教育をしているということだ。その規則にはどういう意味があるのかとか、規則を守らないとどんな問題が起こるのかといった、本質的なことを考えようとする子どもを排除する。そうなると、あとに残るのは「よくわからないけれど、とりあえず規則だから守っておくか」という従順な子どもたちだ。彼らが成長すれば当然、「従順な大人」になる。

このような形で、教師からよってたかって「自分の頭で考えるな、黙って規則に従っていればいいんだから」と刷り込まれ骨抜きにされた結果が、今の日本人の姿だ。

ひとたび「上」が決めた規則ならば、納得がいくかいかないかは別にして、とりあえず従う。政治家がどんなにバカなことをやっていても、現状、決められたルールならばとりあえずそれに従って、文句を言いながらもそのなかでどうやってラクして、楽しく生きるのかということを考えるようになる。投票なんかに行かなくなるのも当然だ。

今の日本が、先進国としてはありえないほど投票率が低いのも、どんなに無策でも政権がそこそこの内閣支持率を保っていられるのも、すべては日本人が子どもの頃から押しつけられている「規則を守れ」というバカ化教育の成果だ。

安保闘争は「信念なき日本人」の反動

では、なぜ日本において、ここまで愚かな「バカ化教育」が継続することになってしまったのかというと、日本政府が意識的にそのような教育を進めたことが大きい。「教育改革」などと言って、学校教育をある「大きな目的」を達成するための道具にしてきたこととの結果だ。

その目的というのはひと言で言えば、「国家に楯突くことのない、おとなしくて従順な国民」をたくさんつくるということだ。

今でこそ、どんなにひどい政策でも内閣支持率が低くならず投票率は低い、なんていう調子で、「日本人といえば、おとなしくて従順」というのが当たり前になっているけれど、政府に批判的な勢力が一定数いた時代もあった。1960〜70年代だ。

前章でも述べたが、戦中・戦後の日本人というのは、そのほとんどが信念もイデオロギーも何もなかった。当時はとにかく「風」に流されて「鬼畜米英」「一億総玉砕」とか騒いでいただけで、戦後になっていざマッカーサーが乗り込んできたら、「民主主義万歳」とコロッと手のひら返しをしたようになってしまった。

こうしたいい加減な時代の反動もあって、60〜70年代になると日本でもわりと明確なイデオロギーをもって、政府に対して批判的な意見を表明する若者が増えていった。なかでもピークだったのが、安保闘争を2回やった頃だ。私などはその一番末端の世代なので、その時代の雰囲気はよくわかる。大学内では政府を批判する「風」が大勢だったので、イデオロギーとは無関係に、この「風」に乗っているほうが目立たなかったのだ。それはともかく、当時、政府に批判的な学生が多かったというのは紛れもない事実だよね。

当たり前だけれど、政府としてはこういう状況は好ましくない。アメリカとの安全保障を強化したりするたびに、国会議事堂のまわりに学生が押しかけて機動隊と衝突したり、新しい国際空港をつくろうとするたびに、バリケードをつくって居座られたりしたら、国策がスムーズに進められない。

そこで、こういう状況に懲りた政府が考えたのが「教育改革」である。

政府の推し進める政策に反対したり楯突いたりするというのは、要するに「上の言うことを守らない」ということだから、子どもたちが小学生のうちから「先生の言うことを守らないのは悪いことであって、そこから少しでも逸脱するっていうのは、みんなから排除されてひとりぼっちになっても仕方がないことなんだ」という刷り込みを徹底したのだ。

バカ化教育のせいで技術力まで低下

そういう画一的な学校教育が10年、20年と続けられた結果、社会に送り出される日本の若者たちはどんどん「羊」のように従順になっていった。そして、そのような「羊」たちが家庭を築き、自らの子どもを「決められた規則を守れ」と刷り込む学校へと再び送り込む。こんなことを繰り返した結果、日本という国は、政府や政治家がどんなにデタラメなことをしても批判せず、むしろ応援するくらいの「羊の群れ」だらけの国になってしまったのだ。

そういう意味では、戦後日本の政治家たちが夢見た「国家に楯突かない、おとなしくて従順な日本人をつくる」という「バカ化教育」は大成功したってわけだ。

ただ、このような画一的な学校教育は、もうひとつのとんでもない災いを招いてしまった。それは、日本人の基本的な教育レベルの低下だ。

国が「教育改革」を叫びそれを推し進めるほどに、日本の教育から「多様性」が失われていってしまったのだ。既成の概念に疑いをもって、自分の頭で考えようとする児童や生徒をもぐら叩きにように抑圧した結果、科学的根拠ゼロのデマや、論理的に考えればすぐにデタラメだとわかるような陰謀論に踊らされる人が増加してくるという今の状況が生まれた。「規則を守る」ことを中心に据えた画一的な教育を進めたせいで、自分自身の頭で考えて情報を精査するとか、多様な視点から物事を見ていくといった、将来の日本を背負って立つべき人材が育ち難くなったのだ。

だから、「成長戦略だ」「科学技術立国だ」などと景気のいいスローガンを打ち上げたところで、口先ばかりでまったく結果が伴わない。アメリカのGAFAとか創薬ベンチャーなどを見ればわかりやすいけれど、結局イノベーション（技術革新）は多様性から生まれる。人種や年齢、学歴など関係なく優秀な人間をどんどん取り立てて、既成の概念にとらわれない新しいことを始めることで、世界があっと驚くような画期的な技術の発明や、世界を変えるビジネスモデルなどが生み出されてくるのだ。

でも、日本ではいまだに、イノベーションを生み出すためにどれだけの予算を捻出すればいいのかとか、ベンチャーを応援する基金をつくろうとかいった表面的なことばかり議論している。多様な人材を養成することを怠って金だけ注ぎ込んでもドブに捨てているようなものだ。画一化教育が招いた結果は国力の低下だったということに思い至らなければ、日本の凋落（ちょうらく）は止まらないだろう。

コロナワクチンをつくれなかった日本

ただ、こういう話をすると、「日本の教育レベルは、世界的にけっして低くない」とか「基礎研究の分野ではいまだに世界一だ」といった反論をしてくる教育関係者も多いのだけれど、つい最近、これ以上ないほどわかりやすく、しかもどうやっても反論ができない形で「日本の教育の低迷」が示された。

それは「日本はコロナワクチンをつくれなかった」という厳然たる事実だ。

新型コロナウイルスが流行した際、世界中で「これはワクチンを開発するしかない」ということになり、国を挙げて挑戦した。その結果、アメリカのファイザー、モデルナ、ジョンソン・エンド・ジョンソン、ノババックス、イギリスのアストラゼネカ、ドイツのビオンテック、中国でもシノバックなどがワクチンを開発、ロシアも国立疫学・微生物学研究センターが「スプートニクV」というワクチンを出したし、インドも「コバクシン」なんてワクチンをつくった。

しかし、日本では結局、「国産ワクチン」は実用化できていない（２０２２年7月25日時点）。

これはもう、どんな言い訳をしようとも、「それだけの技術がなかった」っていうことだ。先日も養老孟司さんと対談をしたのだけれど、養老さんも「コロナ禍でわかったことは、日本にはもうワクチンをつくる能力がなかったということだ」と言っていた。

少し前まで、「日本にはたくさんの製薬会社があり、医療のレベルも高く、国民皆保険制度のおかげで、ちょっと風邪をひいたくらいでも格安で病院に行ける」と、なんだかすごい医療先進国であるかのように言われていた。しかしコロナ禍になって、それはかなり安直な思い込みというか、「過去の栄光」だったことがバレてしまった。

大阪などでは医療崩壊して、コロナ患者が病院にも行けなくて自宅で亡くなったりしていた。しかも、ワクチンだっていつまで待ってもつくれないから、アメリカやイギリスの製薬会社に日本政府がお願いして分けてもらっていたわけだ。日本は医療先進国だと思っていたけれど、実はぜんぜんそうじゃなかったってことだ。

ちなみに、ファイザーのワクチンなどに使われている「mRNA」というものがある。この「mRNA」がタンパク質をつくるときの重要な構造を、世界で一番はじめに解明したのは、実は日本人だったのだ。とはいっても、それは今から45年も前の話。つまり、日本がかつてそういう基礎研究で世界をリードしていた時代があったのは、紛れもない事実なんだけれど、そういう技術を実用化するとか、そういう基礎研究からイノベーションを起こすといったことになると、現在は世界基準から何周も遅れてしまっているということだ。

「無駄な研究には金を出さない」

これはなにも医療に限った話ではない。たとえば自動車に関しても、昔はトヨタやホンダ、日産の車は安くて性能がいいということでアメリカやヨーロッパでたくさん売れて世界を席巻していた。また、トヨタが世界に先駆けて「プリウス」を発売したように、ハイブリッド車などではすごく高い技術をもっていた。

しかし、これが電気自動車（ＥＶ）となると様相が変わってくる。日本のメーカーも頑張ってはいるけれど、アメリカのテスラとか、中国の安いＥＶメーカーのあとを追いかけている状況だ。つまり、日本には少し前までは間違いなく世界トップレベルの技術があったのだが、近年になるとどんどん落ちぶれてきてしまっている。

昔は日本の白物家電やテレビ、半導体などが、海外市場でもよく売れたけれど、現在ではもはや、売れるのは自動車ぐらいになってしまっている。それがＥＶシフトでアメリカ、中国、欧州などに太刀打ちできないとなると、日本の「ものづくり」は本格的に厳しいことになってくる。海外の企業がつくるものを利用するだけになってしまったら、国内企業は研究・開発をするメリットがなくなってしまうから、日本の技術力はどんどん衰退していくからだ。

パソコンやスマホなどを思い浮かべてもらえばいい。ほとんどの日本人はグーグル、アマゾン、アップルが開発した製品やサービスに高い金を払って利用し、それに満足しているから、いまさら「日本の技術力を結集したスマホをつくって世界と戦おう」なんて話にはならない。こうなってしまった分野は、あとはもう衰退していくだけだ。

どうしてこんなことになってしまったのかというと、大学教育の衰退が大きく影響している。

日本では2004年から、政府の方針で国立大学を独立行政法人にしたことで、その予算がどんどん削られてきた。1パーセントずつ大学に注ぎ込む金を減らしてきて、実は今もそれが続いているのだ。1パーセントずつであってもそれが積み重なっていくとかなりの額の削減になるから今、国立大学はすごく経営が厳しくなってきている。

とは言っても、いきなり大学教員や職員をクビにするってわけにもいかないから、研究費を削るしかない。では、どういう形で削っていくのかというと、「役に立つ研究にしか金を払わない」ということを徹底していくのである。

実は、これが日本の技術力が落ちた最大の原因だ。

型破りな人にしか到達できないイノベーションがある

「役に立つ研究にしか金を払わない」っていうのは、お金を大事にしていてすごくいいことのような印象を受けるかもしれないけれど、社会を大きく変えるような画期的な発見やイノベーションのほとんどは、最初から「これは世の中の役に立つ研究だ」と大金を注ぎ込んで推し進められてきたものではなく、「これがいったい何の役に立つのか」と、多くの人がよく理解できないような研究を積み重ねた結果、実現したものであることが多い。

また、そのような画期的な発見や発明をする研究者というのは、往々にして「変人」が多い。一見すると「無駄」に思えることや「真面目に研究に取り組んでいない」と誤解されるようなことをやって、天才的なひらめきを得るような人も多い。要するに「型破りな人」が、世界にとって画期的なイノベーションを起こしているのだ。

ノーベル賞を獲るような研究者も、そういうパターンが多い。大学や学会から冷遇されて、「そんなバカな研究してどうするんだ」ってみんなに言われながら進めていたのが、すごい発見につながったり、「型破りな研究者」がそれまでの常識をひっくり返すような方法でイノベーションをもたらしたりしている。

たとえば今、新型コロナの検査に用いられるPCRという方法を発見したのは、キャリー・マリスというノーベル化学賞を獲った人なのだが、もし彼が日本の大学に在籍していたら、ロクな研究費をもらえなかったはずだ。サボり癖のある研究者だったからだ。

マリス氏はバイオベンチャーに勤めていたが、会社をサボってよく恋人とデートしていたらしい。しかし、PCRのアイデアを思いついたのはそんな「無駄な時間」があったからなんだ。

わずかなDNAを大量に複製するポリメラーゼ法（PCR）というのは、遺伝子をシーケンサー（DNA配列を読み取る装置）で同定するのだが、そのためには熱をかけて二重鎖のDNAを剥がして一重鎖にしなければいけない。しかし、熱をかけると今度はDNAを読むための酵素が壊れてしまう。そこで、マリス氏はずっと、熱をかけてもＤＮＡが読める方法はないかと考えていた。

マリス氏はかつて恋人とよく遊びに行ったイエローストーン国立公園の間欠泉や高熱の温泉を思い出し、そこに生息している「好熱菌（こうねつきん）」を使うことを思いついた。

「好熱菌」は、１３０度ぐらいの高熱でも生きることができる古細菌（こさいきん）なのだが、これを見てマリス氏は「あそこで生きているってことは、あの生物のなかに熱に強い酵素があるはずだ」とひらめいて、好熱菌から熱に強いタンパク質を見つけ出した。それを用いて最初のＤＮＡのシーケンサーというのを開発したことで、ＰＣＲ法というのが世界に広まったのだ。

科研費が日本の科学研究を蝕んでいる

このように、科学技術のイノベーションは、第三者があらかじめ「役に立つ」とジャッジできるような研究から生まれることはあまりない。

既存の学識にとらわれない「変な人」が、周囲から理解されないような「変な研究」

をしていくことで、ようやく到達できることが多いのだ。

しかし、今の日本の文科省の方針では「無駄な研究に金を払わない」ということになっているので、「変な人」や「変な研究」は年を追うごとに肩身が狭くなっている。つまり、年を追うごとに画期的な発見やイノベーションが生まれる可能性が低くなっており、ひいてはそれが日本の技術力の低下につながっているのだ。

そして実はこれも「バカの災厄」だ。

これまで説明してきたように、「バカ」は自分の同一性を絶対と信じて疑わず、それゆえに異なる同一性を受け入れることができずに排除・排斥する。

自分の頭では理解ができない研究を「無駄」と決めつけて、研究費を払わないなんていうのは典型的な「バカ」だ。世の中には自分の頭では理解できない研究が無数にあって、そのなかから画期的な発見や、社会を前進させるイノベーションが生まれることに思い至らない。つまり、想像力が欠落している「バカ」なのだ。

そんな日本の科学研究を蝕む「バカの災厄」の象徴が、「科研費」（科学研究費助成事業）である。

これは自然科学だけじゃなく、人文科学・社会科学などあらゆる分野の「学術研究」を発展させるために、研究者が国からもらうことができる助成金なのだが、今、この審査が非常に厳しくなっている。文科省とそれぞれの学会のボス的な研究者たちが厳正な審査をした結果、「これは科研費に相応しい、いい研究だ」と認められた研究にのみ、科研費が支給される。

つまり、先ほど説明した「無駄な研究には金を払わない」ということを、文科省が率先してやっているのが科研費なのだ。

繰り返しになるが、画期的な発見やイノベーションは、「この研究を進めれば達成できそうだ」などと判断がつかないところから生まれる。「役に立つ研究」か「無駄な研究」かなんてことを、あらかじめ分別するのは不可能に等しいのだ。そんなことを判断する力など文科省の役人は当然もっていないし、学会のボスたちにだってあるかというと疑わしい。みんな、昔はそれなりに優れた研究をしていたかもしれないけれど、過去の業績がどんなにすごくても、何が次の時代をつくるイノベーションの鍵になる研究かなんてことはわかりっこない。

「その世界の権威」ほどバカになりやすい

そんなことを言うと、「私はまだバリバリの現役だ、失礼なことを言うな」って怒る先生もいるだろうけれど、これは研究者としての実績とかその人の知識量の話じゃなくて、「自分と異なる同一性を認められる柔軟性があるか」って話だ。つまり、柔軟性を欠いた人ほど「バカ」という状態に陥りやすいってことだ。

医学でも生物学でも、結局、研究者とか学者は、自分がこれまで受けてきた教育や蓄積してきた知識などによって、「正しそうかどうか」を判断している。その時代のパラダイム（支配的学説）と照らし合わせて思考していると言ってよい。もちろんそれは大事なことなんだけど、長くその世界にいると、そのパラダイムが「絶対」という感じで頭が凝り固まってしまい、ちょっとでもそこからはみ出したものはまったく受け入れられなくなってしまう。ハナから聞く耳を持たず、「そんなことはありえない」と一蹴してしまう。

でも、新しい発見やイノベーションは、「そんなことはありえない」ってところから誕生するわけだから、既存の枠組みにとらわれているうちは、新しいイノベーションの「芽」を見つけることはできない。

その世界で「偉い」といわれているような立派な研究者でさえ、そういうことはよくある。いや、むしろそういう「権威」のほうが、そうなりがちなのかもしれない。

なぜかというと、権威と呼ばれるような人にとって、これまで自分が苦労して蓄積してきた学問の体系を「ひっくり返す」のはやはり受け入れ難いからだ。だから、是が非でも自分が信じるパラダイムにしがみついて、パラダイムに整合的なエビデンスばかりを集めて、そうじゃないエビデンスは無視する。

もちろん本来は、自分が考えていることとは正反対の理論も理解したうえで、どっちが正しいかということを公平かつ客観的に考えなければいけないのだが、年齢やキャリアを重ねると、それがなかなかできなくなってくる。私自身もそういう部分がまったくないわけではないから、他山の石としなければならないけれどね。

「役に立つ研究」至上主義が大学を崩壊させる

このように、それなりに実績のある研究者であっても、いったい何が画期的な研究か、そうでないかを判断することは相当難しい。でも、日本では文科省が無理やりそれをやらせている。きつい言い方になるが、ジャッジできる能力のない人たちが「役に立つ研究」「無駄な研究」と取捨選択することが、日本の科学技術の発展を阻害していることは容易に想像できるだろう。

文科省や学会のボスたちが「画期的な研究だ」なんて評価する研究は、もうその時点で、画期的どころか「すでに終わった研究」である可能性のほうが高い。

日本の科研費はアメリカの制度を真似たもので、アメリカにももちろん審査はある。日本と同じようにたくさんの書類を書かされるが、大きな違いは、科研費の額が日本は桁違いに少ないことと、アメリカでは研究費を助成する機関がたくさんあり、助成した研究がどれほど成果を出したか評価するシステムがあることだ。これだと研究費を出すほうも真面目に審査する。日本のシステムは、助成した研究が成果を出せなくても審査員が責任を問われることはない。

「役に立つ研究」かどうかを文科省が一方向にジャッジして、ジャッジの責任を取らないことには、もうひとつ大きな問題がある。それは、研究者や教育者の「質」の低下を招くことだ。

その昔、私も国立大学で研究をしていたのだが、年間100万円ぐらいの研究費は特別な書類を書かなくとももらえた。当時の私くらいの立場にいて研究している人に話を聞くと、今は大学からは20万円ぐらいしかもらえないという。そうなると研究なんて何もできないから、あとは科研費に頼るしかない。

それはつまり、研究者を続けるためには科研費に「迎合」するしかないってことだ。

文科省や学会のドンたちから「役に立つ研究」だと認められるように、自分の興味を差し置いてそちらへすり寄るしかない。そうなると、研究者としての魂を売っているに等しくなる。でも、金のかかる実験をしている人というのは、金がないと研究者として生きていけないから、科研費の審査員が気に入るような書類を書くほかない。

バカ化教育に大学研究者までが毒されている

私自身は、35歳を過ぎたあたりから実験というものをやらなくなって、ほとんどお金のかからないフィールドワークに移行をしていったので、科研費を申請することもしなくなった。

そのため、申請のやり方などとうに忘れてしまったが、実は文科省や学会のドンたちに気に入られるような申請のコツがあるようなのだ。大学の購買部などに行けば、申請が採択されやすい書き方をまとめたハウツー本のようなものがたくさん並んでいるという。私は見たことはないけれど。

要するに、研究費欲しさに、文科省や学会のドンたちのご機嫌取りのようなことをしなくてはならないのである。とにかく役に立つ研究だと思われるように、彼らが考えている「役に立つ」という基準をしっかりと満たす。そして、彼らから評価されるように、彼らが考える「いい研究者像」をアピールする。

科学というのは本来、「役人に好かれる」などということとはいっさい無縁のはずなのだが、そんなどうでもいいことに研究者が頭を使わないといけない日本の現実があるのだ。

ここまで話を聞いて、何かと似ていると感じないだろうか。

この章の冒頭で紹介した、小学校で行われている「規則を守れ」というバカ化教育と瓜二つなんだよね。小学校から高校までは、とにかく教師が適当に決めた「校則」というルールさえしっかりと守っていれば「いい子」ってことで褒められる。

大学の研究者も同じで、国や大学が適当に決めた「役に立つ研究」というルールさえしっかりと守っていれば、「いい研究者」ってことで研究費がもらえる。

これはつまり、自分の頭で考えない「羊」のように「大人しくて従順な日本人」をつくるバカ化教育が小学校から中学、高校ときて、ついに大学まで上がってきて、ついには日本の科学研究まで毒しているということだ。

政府に楯突く人間を許せずに始めた「教育改革」で、日本人のバカ化が進んでいるのと同様に、文科省が、気に入らない研究者に金をやらないでスポイルをしていることで、大学はどんどん文科省の言いなりになるような教育・研究機関に成り下がっている。昔はよく、文部省でそろそろ定年退職になるような奴が、国公立大学の事務方トップの座に就いたりしていたが、最近では天下りで学長にまでなっている。文科省の植民地みたいになって、どんどん大学の独立性が失われていき、それに伴って、日本の科学研究も地盤沈下を起こしているのだ。

こういう厳しい現実を考えると、日本の科学技術力の未来はかなり暗い。

優秀な研究者ほど去っていく

日本の技術力が本格的にダメになっていくもうひとつの大きな原因が、優秀な頭脳が、「役に立つ研究」しかやらせてくれない日本の大学に愛想が尽かし、国外流出することだ。

実は、それはずいぶん昔から起きている。近年の日本人のノーベル賞受賞者を見るといい。マスコミは「日本人がまた受賞」とはしゃいでニュースにしているけれど、彼らの研究拠点の多くはアメリカの大学で、なかにはアメリカ国籍をとっている人もいる。

たとえば、2021年にノーベル物理学賞を受賞した眞鍋淑郎・米プリンストン大学上席研究員は東大大学院で博士号を取得したのちに渡米して米国籍を取得し、ずっとアメリカを拠点に研究を続けていた人で、こんなことを言っている。

「日本に戻りたくない理由のひとつは、周囲に同調して生きる能力がないからです」

日本のマスコミはアメリカンジョークだと報じたが、これは明らかに「日本の研究者は周囲に同調して生きていく能力がないと務まらない」って皮肉だよね。つまり、日本の研究環境というのは、大学や文科省の顔色ばっかりうかがって多様性が欠如しているってことだ。「役に立つ研究」にしか研究費や科研費を出さないという視野の狭さ、要するに「バカ丸出し」の状態だってことだ。

こんな感じで、大学の環境に愛想を尽かして日本を去っていく研究者に加えて、金の問題で去っていく研究者もいるだろうね。

昔は、大学で研究して何か画期的な発見をした場合、その特許の権利は大学内の委員会で、研究者と大学側が話し合ってその取り分を決めていた。たとえば、大学での研究と直接的に関係ない研究で特許を取得した場合、その特許権は研究者が100パーセントもらうなどと決めていた。しかし、近年は大学側も経営が苦しいので、研究者の特許も自分たちのものにしようという動きが増えている。そのため、優秀な研究者は、画期的な発見をしたらさっさと大学に見切りをつけ、民間企業から支援を受けて自分でベンチャーや研究所を立ち上げることも多い。

たとえば、東京大学大学院医学系研究科疾患生命工学センターに宮崎徹（とおる）という教授がいた。この人は数年前、猫の腎臓病を治して寿命を2倍に延ばす可能性もあるという、「ＡＩＭ」（Apoptosis Inhibitor of Macrophage）による画期的な治療法を開発したと大きな話題になったのだが、２０２２年3月に東大を辞めてしまった。

報道によれば、ネコ用の薬の開発やヒトへの応用といった研究に集中するために、非営利の一般社団法人「ＡＩＭ医学研究所」を設立して、自分の研究室メンバーの大半とともにそこへ移るという。

それは裏を返せば、東大教授のままでは研究に集中できないということだ。これだけ画期的な技術なのだから、ペットフード会社などは喜んで出資してくれる。そっちのほうが遥かに、金銭的にも研究環境的にもいいということだね。

日本の最高峰の研究機関である東大でさえこの有り様だ。優秀な研究者は、ずっと大学にいて文科省や大学にペコペコしながら研究するのが、もうバカバカしくなってきているってことなのだ。

第4章　バカにつけるクスリ

「バカの災厄」から身を守るには

ここまで、日本を蝕む「バカ」の災厄と、その「バカ」を大量生産している日本教育の問題点について解説してきたが、最後に「バカにつけるクスリ」についても触れておこう。

つまり、巷(ちまた)に溢れる「バカ」と、彼らが引き起こす災厄にどう対処していくのか、そしてどうすれば「バカ」が減っていくのかということだ。

まず、「バカ」の対処法だが、個人的にはこれはやはり「君子危うきに近づかず」ではないが、バカにはなるべく近づかないで相手にしないということに尽きる。

「バカ」は自分の考えは常に正しいと思い込んでいるので、自分と少しでも違う考えをもつ人間は許せない。近くにいたら、トラブルに巻き込まれる可能性が高い。たまに連絡を取り合って話をするような間柄でも要注意だ。突然、自分の考えを押しつけてきて、それに異を唱えると怒り狂って絡んでくる、なんて災厄に見舞われるおそれもある。

ただ、「近づかない」という防御法がとれない相手もいる。たとえば、職場の上司や同僚が「バカ」だった場合、仕事があるので「近づかない」というわけにもいかないだろう。こういう場合、どうするのかというと、「なるべく議論を避ける」のだ。「バカ」とケンカをすることほど、不毛で危ないことはない。彼らは自分と異なる同一性を認められないので、結局、どこまでいっても歩み寄ってくることはない。そんな対立を続けるのはすごくエネルギーのいることだ。なかでも、攻撃的な「バカ」の場合、カッと頭に血がのぼって手を出してくるかもしれない。

そんな面倒臭いことに巻き込まれることを避ける最もよい方法は、なるべく話に乗らないでスルーすることだ。

古今東西の賢い人が用いてきたバカ対策

「スルーしないで、相手を説得したほうが効果的だ」って思うかもしれないけれど、実はこれは「バカ」への対処法としては最悪だ。説得しても、バカはケンカを売られたと思うだけなので無駄である。

それでは、昔から「賢人」と呼ばれているような人たちは、どうやって災厄に巻き込まれることを防いできたのだろう。たとえば、カール・ポランニーという経済人類学者がいた。貨幣論や市場社会論でピーター・F・ドラッカーなど後世の経済学者にも多大な影響を与えたこの人の座右の銘は、「バカ」対策の本質を突いていて非常にわかりやすい。

「愚かな人にはただ頭を下げよ」

つまり、もし「愚かな人」に絡まれたのなら、「ああ、そうですか」という感じで、ただ頭を下げておけっていうことだよね。もちろん、ペコペコしろってことではないよ。前章でも、厄介な奴に絡まれたら「煙に巻け」という話をしたけど、右から左へ聞き流す。なるべく相手にならなってことだよね。

「賢い人」というのは、自分の依拠する同一性が今のところ一番合理的だと信じているんだけれど、世の中には自分と違う同一性をもつ人たちがいるってことも認めることができる。同時に、今自分が考えている同一性よりも、もうちょっといい同一性があるかもしれないっていう可能性を考えることができるから、とりあえず相手の意見に耳を傾ける。

でも、「愚かな人」というのは、自分の同一性を絶対に正しいと信じて疑わないから、異なる意見は絶対に受け入れられない。相手が誰であろうが、異なる同一性だとわかれば攻撃的になって噛みついて、どうにかして自分が正しいことを証明しようとする。

そんな「愚かな人」に対して、「あなたの言っていることは間違っていますよ」なんて指摘をしたところで、受け入れられるはずもない。「自分の正当性」を補強するような都合のいい情報やデータを引っ張ってきて、自分が正しいという主張に固執する。それだけならばまだマシで、逆恨みされて暴力に訴えてくる可能性だってゼロじゃない。

要するに「バカ」相手に論争や説得をするのは無駄だってことだ。おそらく、このカール・ポランニーも「愚かな人」とのコミュニケーションで大変な苦労をしたんじゃないか。そこで、「愚かな人」を相手に論争をしてもしょうがないから、とりあえず頭を下げておくかって結論に至ったのかもしれないよね。

変わり者だと思わせ距離を置く

この「バカに対して頭を下げる」というのには、もうひとつ大きな利点がある。それは「バカ」から狙われにくくなるという、いわば「バカの予防効果」だ。

簡単に言っちゃうと、何を言われても蛙の面に小便で、「あいつには何を言っても意味がない」と思わせ、「バカ」の戦意を喪失させるのだ。

これは「賢い人」がよくやっている処世術のひとつだ。たとえば、会社などで「バカ」な上司の下で働いている「賢い人」ってのは、最低限の仕事はしっかりこなしながらも、「バカ上司」から言われた理不尽なことについては「はい、わかりました」なんて感じで適当に受け流している。当初はごちゃごちゃと小言を言われるが、それでも態度を変えないでいると、「あいつには何を言ってもしょうがない」と諦めてもらえる。要は、「変わり者」として認められることができるんだ。

ひとたびこうなってしまうと、会社なんかの組織のなかではけっこうラクに生きられる。「変わり者」ということで、「バカ上司」から距離を置くことができ、おかしなトラブルに巻き込まれることも少なくなる。また、「変わり者」なので、社内の派閥争いみたいなものとも無縁だ。

それと対照的に、「バカ上司」にくっついて、わけのわからない命令なんかにも「はい、すぐにやります」という感じでいちいち真面目に従っている人はつらい。どんな理不尽な要求でも素直に従うと思われているから、「バカ上司」はどんどん近づいてきて、どんどん「バカの災厄」に巻き込まれていく。

それに嫌気がさして、「バカ上司」に反抗をしたり距離をとろうとしたりすると、「急に態度を変えやがって」と反感を買って、ものすごいバッシングを受けたりする。下手に「バカ」との距離を縮めたばっかりに、すごくつらい生き方を強いられてしまうのだ。

こういうところからも、「バカ」と距離をとるということはすごく大事だということがよくわかる。そこで心がけておくべきポイントは「諦め」だ。

さっきも書いたけど、「バカ」に絡まれたらとにかく話し合いや説得は諦めて、頭を下げてその場をやり過ごす。そして、相手の「バカ」にも「これ以上こいつと話をしても無駄だな」と諦めてもらう。あえて「変わり者」として振る舞うのも、「バカの災厄」から身を守るひとつの手段なのだ。

「バカの災厄」を防ぐには教育しかないが……

さて、このような対処法を心得ていたとしても、次から次へと「バカ」が登場して、世の中に溢れかえってしまえばどうしようもない。やはり根本的な問題解決が必要になってくる。

つまり、社会や赤の他人に対して災厄をもたらすような、はた迷惑な「バカ」の数をできる限り少なくしていくことが重要になってくる。

そこでポイントになるのは教育だ。前章で解説してきたように、今、日本に無数の「バカ」がひしめいているのは、まさしく馬鹿のひとつ覚えのように「理由を考えずに、規則を守れ」というのを叩き込む学校教育や、多様性を欠いた大学教育の弊害だ。

ここを改善しないことには、「バカの大量生産システム」の「蛇口」が開けっぱなしになっている状況なので、いつまで経っても「バカ」は社会に供給され続け、それにともなう災厄も増えていくというわけだ。

じゃあ改善すればいいじゃないかって話になるんだけど、正直、これは現実的には相当難しい。

日本の教育システムを変えるためには、まず政治を変えないといけない。でも、投票率がずっと低空飛行を続けていて、「今の政権でも満足だ」って人がこれだけ多い今の日本で、「政治を変える」っていうのは一筋縄ではいかない。つまり、今の政権のままでは日本の教育も変わらないってことだ。

「今の政権のままだって教育改革はできる」って自公支持者の人たちは言うかもしれないけれど、ここ20年間の日本の経済力や科学技術力の凋落のすさまじさを見れば、その元凶が現政権の政策の拙(つたな)さにあると考えるのはごく自然だ。

そもそも、現在の「バカの大量生産教育システム」というのは、政権が「思いのままに政局を運営しやすいように、羊のような国民をつくりたい」ということで推し進められてきたものなので、「教育改革だ」と言い続け、さも教育を改善しているかのように振る舞いながら、どんどん「改悪」を重ねてきたというのが実情だ。

余命いくばくもない私みたいな老人は目をつぶってあと何年かをやり過ごせば、もはやこの世とは無縁になるが、若い皆さんは、日本を立て直すために少しずつでも抵抗を続けていってほしい。

そこで、ここからは「バカ教育」から脱する方法について考えていきたい。

子どもがバカにならない「放ったらかし子育て」

日本における「バカの大量生産システム」は小学校からスタートしているので、ひとたび子どもをこのレールに乗せてしまうと、ベルトコンベアのように中学、高校へと進み、「バカ教育」の洗礼をフルコースで受けるはめになる。

この流れにせめてもの抵抗をするという点では、「家庭教育」は非常に重要だ。学校の指導システムは政治が変わらない限り変わることはないので、ここには期待できない。だから子育てで「バカ化」を防ぐのだ。

では、親は我が子をどんなふうに育てればいいのか。そのヒントが「放ったらかし子育て」にある。

日本人は「子どもを立派な人間に育てよう」と、異常なまでに子育てを頑張る人が多いが、これは最悪だ。幼い子どもにルールやマナーを押しつけて、それができないと罰を与えたり、将来立派な人間になるようにと、本人の意志とは関係なく、ピアノだスポーツだと習い事をさせ、さらには塾にまで通わせたりする。そういう過干渉ともいうべき「肩に力が入った子育て」をいっさいやめ、食事の用意や洗濯など必要最低限の世話だけしてやって、あとは余計な介入をしない。「好きなように遊ばせておけばいい」というくらいの、ある意味で「いい加減な子育て」へと切り替えるのだ。もちろん本人がやりたがっているのであれば、経済事情が許せば、習い事をさせるのは問題ないが、親の見栄でさせてはいけない。

これまで見てきたように、子どもが「バカ」になってしまう要因は、学校や教師が「規則を守れ」「みんな平等に」「いい子になれ」などと言い、子どもが自分の頭でものを考える機会を奪ってコントロールしようとすることにある。つまり、子どもへの過干渉が「バカ」を生み出している。だから、その逆をやればいいのだ。

こんなことを言うと、「うちの子どもは放っておいたらずっとゲームをしているから、叱らないと勉強しない」というような心配をする親も多いけれど、子どもというものは何か面白いことがあれば、放っておいてもそれにのめり込んでいくものだ。

勉強や学ぶことに興味のある子は、親に何も言われなくても自然にそっちへ向かうし、勉強が嫌いな子どもも放っておけば、自分の好きなことや興味のあることを見つけてくる。親はそうやって自分の頭で考えて行動した我が子に対して、「すごいね」と褒めてやればいい。子どもはそれだけでも幸せを感じるし、どんどん知識を吸収して成長していく。

勉強が嫌いな子どもからゲーム機を取り上げて、無理に机に向かわせようとするから、本人はますます勉強が嫌いになっていくし、自分の頭でものを考える力も奪われていく。つまり、親が子どもを自分のコントロール下に置いて、親の考える「いい子」を目指していく子育てというのは、くだらない規則や画一的な評価でがんじがらめに縛って「バカ」を大量生産する学校教育とまったく同じことを、家庭でも実践しているに等しい。

バカ親が取り憑かれる「べき論」

なぜこんなことが起きてしまうのか。これが日本のバカ教育の根深いところで、親がすでに「バカ」になってしまっているからだ。

子どもをコントロール下に置こうとする親というのは、自分のなかで「子どもとはこうあるべきだ」という同一性がすっかり固定化していて、そこから少しでも外れるのは許せなくなってしまっている。だから、自分の考える「理想的な子ども」に育つように、右も左もわからないような我が子に「ちゃんと挨拶をしなさい」「規則は守らなきゃダメ」なんていろいろ口うるさいことを言い、塾に通わせたり習い事をさせたりしているわけだ。

つまり、日本で「バカ」が大量生産されている背景には、学校教育が「バカ教育」を施していることに加え、自分の考える「理想的な子ども像」に固執してそこから動けない「バカ親」が多いというダブルパンチがあるのだ。

では、「バカ親」にならないためにはどうすべきなのか。やはり大切なのは、「家庭はこうあるべき」「子どもはこうあるべき」というような「べき論」から脱却することだ。自分の同一性は絶対だと信じて疑わない「バカ」がまともになるための第一歩はそれがなんであれ、「こうあるべき」なんて「べき論」をまず疑えってことだ。

たとえば、自民党の議員などはよく「日本の家庭とはこうあるべきだ」という、彼らが考える理想的な家庭像を語る。お父さんとお母さんがいて、子どもも2～3人いて、できたらそこにおじいちゃんとおばあちゃんもいて、という「サザエさん」みたいな家庭が日本の理想だってわけだ。だから、夫婦別姓や同性婚なんて絶対に認められないっていうスタンスなんだ。お父さんとお母さんが別々の姓を名乗っていたり、お父さんがいなかったり、子どもがいない家庭だったりというのは、「理想的な日本の家庭」ではないってことだ。

しかし、現実を見てみると、そんな「サザエさん」みたいな三世代同居家族の割合はいまや10パーセントを切っている。シングルマザーやシングルファザーもたくさんいるし、子どものいない夫婦だってたくさんいる。つまり、どこかの誰かが言い出したような「理想的な日本の家庭」なんてのは、いまやほとんど存在していない「幻想」だってことだ。

だけど、「バカ」は自分の同一性が絶対だと思い込んでいるので、この現実をなかなか受け入れられない。それを象徴するのが、日本中の学校や家庭で行われている「バカ教育」だ。

利他や努力を過度に称賛するな

以前、教育関係者から聞いた話なのだが、日本の小学校では、「お父さんお母さん、ありがとう」みたいなことを言って、教師が「お父さんやお母さんが普段何をしているのか、話を聞いて壁新聞にしましょう」とか「感謝の手紙を書きましょう」なんて呼びかける無神経な授業を、少し前まで平気でやっていたようだ。

今はひとり親世帯もすごく増えているし、なかには肉親に育てられていない子だっているから、さすがに多少は配慮されるようになってきているようだが、「多様性が大事だ」とか「一人ひとりの個性を伸ばす」とかの綺麗事とは裏腹に、教育方針は一律でなかなかアップデートされない。

現実にはお父さんとお母さんの2人が揃(そろ)っていない家庭だって山ほどあるのに、「理想的な日本の家庭」という同一性に縛られて、いつまでもそれを踏襲して、子どもたちに押しつけていたわけだ。これもひとつの「バカの災厄」だよね。

また、「バカ教育」にならないように家庭でも学校でも気をつけるべきは、「利他的なことをした人」「努力をした人」を過度に褒め称(たた)えないようにすることだ。みんなのために犠牲になったとか目標に向かって血のにじむような努力をしたとかいう話は、子どもの教育上、すごくいいことのように言われているけど、あまりにそれを押しつけたり反対に利己的な人を悪の権化みたいに言ったりすると、その反動で多様性がなくなるのだ。

たとえば、有名人の不倫炎上でもなんでもそうだけれど、日本には法律ではなくて「世間のルール」を破った人に対して執拗に攻撃・批判をする人が多い。海外では「不倫なんて個人の問題だから、好きにすればいい」と考えている人が多いし、イギリスなんて王室の人だって不倫している。でも日本ではまるで罪人扱いで、仕事も奪われ、今後はお天道様（てんとうさま）に顔向けできない、というほどまでに叩かれる。この不寛容さもやはり「バカの災厄」だ。

努力も悪いことではないけれど、世の中には努力しないでいろいろなことができる人もいるし、逆にいくら努力をしても結果に結びつかないという人もいる。大事なのは「いろんな人がいる」という多様性を認めることなのに、努力を礼賛する教育ばかりしていると、無駄な努力も尊いといった錯覚をする子どもが育つ。不得意なことに時間を使うのは愚かである。

多様性を欠いた生物は必ず絶滅する

すでにおわかりのように、「バカ教育」を変えるためには多様性を身につけるほかない。

多様性というのは、日本の未来を考えるうえでも非常に重要な観点だ。日本が衰退を続ける原因のひとつは、さまざまな分野における「多様性の欠如」であることは間違いない。

「多様性がない生物が滅びる」のは自然の摂理だ。ここまで見てきたように、日本の国力はすさまじいスピードで衰退しているが、それは社会システムが硬直化していて変化する環境に適応できないからだ。すなわち多様性がない。

生物で最も効率よく繁栄できるのは「単為生殖（たんいせいしょく）」だ。2つの個体間で交尾をして子どもを殖やしていく「両性生殖」とは異なって、雌が自分と同じ遺伝子をもつクローンをたくさん産んでいく。単為生殖の場合、雄はいらないし交尾なんてこともしなくていいから、環境に適せばどんどん殖えて栄えていく。

単為生殖はさまざまな動物のグループで見られるが、生物界を見渡してみると、単為生殖している動物はそんなに多くない。なぜ単為生殖をする動物が少ないのかというと、単為生殖の種は絶滅する確率が高いからだ。

環境に適してうまくいっているときには、単為生殖ほど効率のいい繁殖のやり方はないのでどんどん増えていく。しかし、環境が変わると——たとえば感染症が出現したりすると——みんな一気に死に絶えてしまうことがある。

両性生殖の場合は、異なる個体同士のＤＮＡを交換しているわけだから、子どもはＤＮＡ構成がみな異なる。ある感染症が出現しても、耐性のある個体も耐性のない個体もいて、耐性のある個体は生き残り全滅することはない。効率は悪いけれど、「無駄」を組み入れることで多様性をつくり出して環境の変化に対応している。いろんな個体が幅広く揃っているというのは詰まるところ、環境変動に対しての危機管理手段なのだ。

「日本がすごい」のは凋落の速度だけ

このような「単為生殖」のリスクを考えると、今の日本がかなり危機的状況に置かれていることがよくわかる。

戦争に負けて以降、日本人は「規則を守れ」「みんな平等」という多様性のない画一的な教育によって、クローンのように「平均的な日本人」を生み出し続けてきた。「一億総中流」なんて言葉があったように、みんなが同じ仕事をして、みんなが同じような家庭を築いて、みんなが同じような教育を受けるという、いわば単為生殖の手法で経済を成長させてきた。

GDPが世界で第2位となったのも、当時は「みんなで同じことをやる」という工場生産が主力だったからだ。工場労働者に多様性はいらない。製造ラインに合わせて、同じくらいの能力の人が同じようなスピードで組み立てていくことが最も効率がいい。つまり高度経済成長期の繁栄というのは、単為生殖のような効率性を重視した日本の「クローン教育」が非常にうまく機能した結果だったわけだ。

そんな「単為生殖社会」がうまくいったおかげで、気がつけば日本は1億2000万人という、西側の先進国のなかではアメリカに次いで2番目に人口が多い国になり、社会もそれなりに豊かになったわけだけれど、20世紀の末に大きな壁にぶち当たった。

時代がガラッと変わって、ＩＴが進歩したり新興国も存在感を増したりして、これまでのような工場生産だけでは世界に通用しなくなってきたのだ。何か製品をつくるにしても、「みんなで同じものを効率よく」なんてことは中国だって東南アジア諸国だってすでに当たり前のようにできるようになっていたので、日本がＧＤＰを維持するためには、時代に対応したやり方を模索する必要があったのだ。

つまり、「単為生殖」から方向転換して、あえて「無駄」を組み入れるなどの多様性を身につけて、この環境の変化に適応しなくてはならなかったのだ。

日本人の多くは「ものづくりが日本の強み」とか「日本の科学技術は世界一だ」といった昔の成功体験が忘れられなくて、いつまで経っても「単為生殖社会」から抜け出せなかった。戦後ずっと続けてきた「規則を守れ」「みんなのために犠牲になれ」「とにかく努力しろ」という「バカ教育」の弊害で、この環境の変化を前にしても「一生懸命に頑張ればいつか報われる」なんて感じで現実を直視できずにどんどん衰退していった。

「バカ」は「日本すごい」という言葉が大好きだけど、日本が本当にすごいのは「凋落の速度」だけなんだよね。衰退のスピードがすさまじいってことだ。

そんな、日本の衰退をさらに後押ししているのが、本書でこれまで取り上げてきた「バカの災厄」だ。「バカ教育」によって次々と生み出される「バカの大量生産システム」という根本的な問題に手をつけない限り、日本の凋落は止まらないだろう。

おわりに

安倍元首相銃撃事件も「バカの災厄」

　この原稿を執筆しているとき、衝撃的な事件が起きた。

　第26回参議院議員選挙で候補者の応援演説をしていた、安倍晋三元首相が銃で撃たれて殺害されたのである（2022年7月8日）。犯人の男は、「世界平和統一家庭連合」という宗教法人に恨みをもっていて、動機について「安倍元総理が（この団体を）国内で広めたと思って狙った」と供述しているという。

　事件の詳細はまだわからないが、報道によれば、犯人の男性の母親はこの宗教の信者で、家庭を顧みることなく多額の献金を続けるほどまでにのめり込んでしまい、一家は破産に追い込まれたほか、この男性はネグレクトを受けていたという。

ネット上の陰謀論を真に受けて犯罪に走るような「バカ」と同じく、自分の同一性が絶対的に正しいと思い込み、そこから一歩も抜け出せずに視野狭窄（きょうさく）に陥ってしまったという点においては、この男性も母親も完全に「バカ」だ。

おそらく、このような犯罪はこれからも増えていくことだろう。第4章の最後でも触れたように、坂道を転げ落ちるかのような日本の衰退のスピードにはすさまじいものがある。

しかし、政治が変わらないので「バカの大量生産システム」はいまだに健在でフル稼働している。ということは、経済がボロボロになって多くの人たちが貧しくなっていくこれからの日本社会に、「自分の信じているものは正しいと思い込み、異なる同一性をもつ者を憎悪するバカ」が大量に放たれていくということだ。

彼らは自分たちの貧しさや不幸な境遇、社会の閉塞感をきっと「誰かのせい」にするはずだ。そんな時、ターゲットになるのは、自分と異なる同一性をもつ人たちだ。モンスタークレーマーが「店員の不手際」に対して激昂するように、あおり運転をする悪質ドライバーが「運転マナーの悪いドライバー」を懲らしめるように、自分と異なる同一性をもつ人たちに「正義の裁き」を下すことに快感を覚える人が増えていきそうな気がする。

「池田君。風というのは、刀じゃ切れないんだよ」

そんな「バカの災厄」が当たり前になってしまう社会を、私たちはどうにかして回避しなければならない。「規則を守れ」「みんな平等」と言いつのり、クローンを量産する「バカ教育」をやめさせて、「多様性」を身につけることを学んでいかなければならない。

まずは政治を変えなければならない。

今回の参議院選挙では、先進国のなかでも異常に低い投票率は多少改善され50パーセントを少し超えたが、相変わらず自民党は大勝した。しかし得票率を見ると、必ずしも自民党が大勝したとは言えず、多党化が進んでいるようだ。これは多様性という点からは悪い兆候ではない。

以前、養老孟司さんから言われて、心に突き刺さった言葉がある。

「池田君はすごく論理的で、本もいっぱい書いてバシバシ社会を斬ってる。でもね、池田君。風というのは、刀じゃ斬れないんだよ」

さすが養老さん、言い得て妙だとひどく納得した。

この本のなかでも触れたけれど、大半の日本人には宗教もないし、イデオロギーもない。その時々で「強い者」に従って、毎日をそこそこ楽しめりゃいいやっていう、どこか刹那的な生き方をしているから、世間の「風」ひとつでこれまでのことなんてコロッと変わる。そういう人たちを相手にいくら「刀」を振り回したところで、まさしく「どこ吹く風」ってわけだ。

でも考えようによっては、戦後ずっと続いてきた「バカ教育」も、何かのきっかけで別の風が吹いて、ガラリと大転換する可能性もゼロじゃない。

そこで気になるのは、どうすれば「風」を変えることができるかってこと。これに関しても養老さんに質問したけど、「ウーン」と唸（うな）っていた。養老さんのような賢い人でも考え込んでしまうほど、この答えを見つけることは難しい。

答えが見えていないからこそ、これからの日本には「多様性」が必要だって話だ。何が次の時代に必要な装置になるのかは、あらかじめわからないからだ。

今、日本を生物種にたとえるとしたら、ダイナミックに環境が変わりつつあって、「このままでは絶滅に瀕（ひん）するか、生き残るか」という瀬戸際のところにいる。こういう危機に瀕して、「その種が助かるかどうか」を決めるのは、これまではなんの役にも立ってこなかったと思われている、現時点での効率性や合理性とは無縁のことばかりをやっている連中がどれくらいいるかだ。

たとえば、「世の中の役に立つ研究」なんて画一的な判断では排除されてきたような「変な研究」が、衰退が著しい日本の科学技術を再興させる救世主になるかもしれない。

つまり、「無駄」を大切にしていくことで、そこから思わぬ動きが起きて「風」も変わっていくということはありうる。

ほとんどの人にとっては、たぶんこの本も「無駄」だ。一冊まるまる使って「バカ」について解説し、「バカの災厄」の危険性やそれを防ぐ手立てを考えていく。自分の人生やビジネスに役立つ知識を吸収しようとして本を読む人からすれば、本書を読むことなど時間の無駄の極みに思えるだろう。

それでも、こんな「無駄」のなかから世の中を変えていく「風」は起きる。世界を変えるための小さな動きが始まる。そしてそれが、生き残るための道につながることもある。生物というのは常にそうやって生き延び、進化してきた。人間だって同じだ。

たとえほんの小さな「微風」であっても、本書が皆さんの心のなかに何かしらの「風」を立てることができたなら、とても嬉しい。
最後まで読んでいただき、ありがとうございました。

２０２２年夏

池田清彦

池田清彦（いけだ・きよひこ）
1947年、東京都生まれ。生物学者。東京教育大学理学部生物学科卒業、東京都立大学大学院理学研究科博士課程生物学専攻単位取得満期退学、理学博士。山梨大学教育人間科学部教授、早稲田大学国際教養学部教授を経て、山梨大学名誉教授、早稲田大学名誉教授、TAKAO 599 MUSEUM名誉館長。カミキリムシの収集家としても知られる。『環境問題のウソ』（筑摩書房）、『ほんとうの環境白書』（角川学芸出版）、『本当のことを言ってはいけない』（KADOKAWA）、『自粛バカ』『SDGsの大嘘』（ともに宝島社）など著書多数。メルマガ『池田清彦のやせ我慢日記』、VoicyとYouTubeで「池田清彦の森羅万象」を好評配信中。

宝島社新書

バカの災厄
頭が悪いとはどういうことか
（ばかのさいやく　あたまがわるいとはどういうことか）

2022年8月24日　第1刷発行
2024年1月26日　第2刷発行

著　者　池田清彦
発行人　蓮見清一
発行所　株式会社　宝島社
〒102-8388 東京都千代田区一番町25番地
電話：営業　03(3234)4621
　　　編集　03(3239)0646
https://tkj.jp
印刷・製本：中央精版印刷株式会社

ISBN 978-4-299-03295-9